LECTURE PIANO

CP

Sandrine
Monnier-Murariu

Professeure des écoles,
psychomotricienne de formation

RETZ
www.editions-retz.com
9 bis, rue Abel Hovelacque
75013 Paris

 Sommaire

ISBN : 978-2-7256-3570-5
© Éditions Retz, 2017

 Cet ouvrage suit l'orthographe recommandée
par les rectifications de 1990 et les programmes scolaires.

Présentation

L'objectif de cette méthode est de donner à **tous les élèves** les moyens d'apprendre à lire en **toute confiance**, tout en ressentant du **plaisir** dans cette découverte. Il s'agit de prendre en compte le **rythme** de chacun, tout en favorisant **l'estime de soi**.

La méthode « Lecture piano » a puisé ses balbutiements dans des petits groupes d'aide à des élèves en difficulté de lecture. Les problèmes spécifiques de ces élèves (incapacité à associer des phonèmes, confusion de sons, inversions, difficulté de langue pour les élèves allophones, lecture ânonnée pour les plus grands…) ont nécessité de chercher un moyen plus adapté à leurs difficultés. Il fallait leur permettre de lire « rapidement » tout en prenant du plaisir, en intégrant le sens de la lecture et en comprenant le principe alphabétique (première étape de la lecture).

Cette méthode peut donc convenir à tous les élèves, comme elle peut s'adapter à des petits groupes. Elle permet aux enfants en difficulté de rattraper leur retard, aux élèves allophones de progresser pas à pas… Elle peut être utilisée en complément ou en renforcement.

Une attention particulière donnée à l'apprentissage du code

Apprendre à lire, c'est tout d'abord apprendre à décoder, c'est-à-dire à mettre en relation ce que l'on entend (le phonème) et ce que l'on voit (la lettre ou le graphème), puis à combiner pour produire des syllabes, puis des mots. C'est le point le plus important de ce manuel, qui introduit très progressivement les sons consonnes, puis les graphèmes complexes.

Un renforcement du sens de la lecture

Le fait de combiner les syllabes en suivant avec le doigt (grâce aux flèches), toujours de gauche à droite, permet de bien comprendre le sens de la lecture et de faire la différence, par exemple, entre « fa » et « af ». Les syllabes du manuel sont alternativement composées d'une consonne et d'une voyelle puis d'une voyelle et d'une consonne (quand l'occurrence s'y prête). Pendant la lecture, l'enfant associe le geste et prend conscience de l'ordre des lettres. (Cet ordre est renforcé par l'utilisation du piano.)

Des aides et des moyens mnémotechniques

L'outil « piano »

 Cet outil donne un aspect ludique à la lecture pour l'appropriation de la combinatoire en favorisant la manipulation (pour son utilisation, voir p. 4).

Une phrase et une couleur associées à chaque graphème « simple »

Elle souffle sur les flammes rouges du feu.

Ces deux éléments sont des aides mnémotechniques : la phrase, qui favorise l'apprentissage du son, est rapidement mémorisée par les élèves. L'illustration renforce cette mémorisation. La couleur, elle, aide à la lecture.

Une pédagogie différenciée

Dès la deuxième semaine, des niveaux d'apprentissage différenciés sont proposés pour la lecture de phrases comme de textes courts. Ces niveaux sont représentés par ces 3 symboles :

Chaque enfant peut avancer à son rythme et changer de niveau en fonction de sa progression ou des difficultés qu'il rencontre. Ainsi, l'élève n'est jamais en situation difficile et prend toujours du plaisir à lire.

En parallèle, un travail sur le cahier d'exercices

L'écriture vient en appui lors de l'apprentissage des graphèmes. Il est donc important de très vite passer à l'écrit pour permettre à l'enfant de transcrire le son qu'il entend et de se l'approprier.

C'est ce que propose le cahier d'exercices. Il permet en effet de prendre en compte la phonologie, l'encodage, l'écriture (maitrise du geste), la copie pour favoriser la mémorisation orthographique, la production d'écrit, mais également la compréhension des textes du manuel.

Mode d'emploi
du manuel

Les consonnes « simples »

Étude du code

On observe la lettre en couleur étudiée.

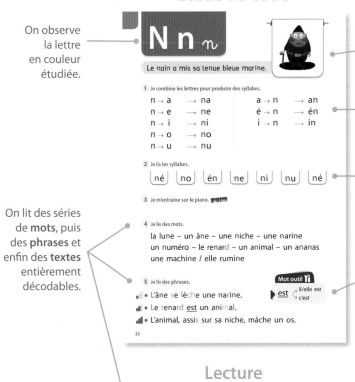

on regarde le dessin, on écoute la petite phrase associée à la lettre et on la mémorise.

On s'entraine à combiner des lettres, puis à lire des syllabes sur le manuel. On s'aide du piano pour combiner des lettres (voir ci-contre).

On lit des séries de **mots**, puis des **phrases** et enfin des **textes** entièrement décodables.

On découvre et on retient les mots outils (non décodables dans cette partie) au fur et à mesure.

Lecture

Révisions

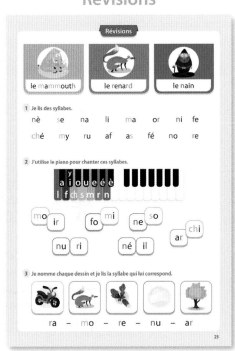

Ces symboles indiquent trois niveaux de lecture possibles avec un étayage qui évolue.

Lettres muettes : elles disparaissent au fur et à mesure dans le niveau 3 et dans les mots outils mémorisés.

Les graphèmes complexes

Le principe est le même que les sons consonnes, avec quelques évolutions…

Étude du code

Une seule couleur pour
tous les graphèmes,
avec un ou plusieurs
mots référents.

On associe des syllabes
à des mots.

Les mots outils deviennent
des « mots à retenir » (à mémoriser),
car ils sont décodables.

Si nécessaire,
on peut continuer
à s'entrainer sur le piano
des sons complexes.

Des histoires à lire

Pour favoriser le plaisir
de lire… Elles sont à lire
en autonomie ou avec l'aide
de l'enseignant, en une seule
fois ou en plusieurs étapes.

Lecture

Révisions

L'entrainement sur le piano

**Un outil pour « chanter les syllabes » et faire comprendre
le principe de la combinatoire par la manipulation.**

Touches noires :
les voyelles

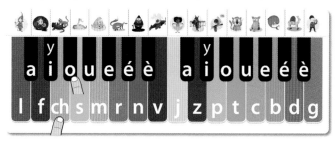

Touches
colorées :
les consonnes
(une couleur
par graphème)

**L'élève touche avec les deux index une touche de couleur (consonne)
et une touche noire (voyelle), puis prononce la syllabe.**

NB : un piano pour travailler avec les sons complexes est également fourni
à la fin du manuel. Au verso, l'outil est proposé avec les lettres en cursive.

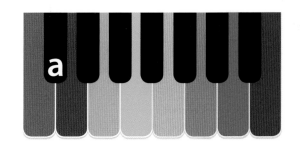

1 Combien de fois entends-tu le son **a** dans chaque image ?

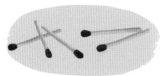

2 Combien de fois vois-tu la lettre **a** dans cette ligne ?

a   b   e   n   a   A   H   i   o   a   a   u

3 Combien de fois vois-tu la lettre **a** dans les mots suivants ?

avion   banane   ballon

cabane   ananas   tapis

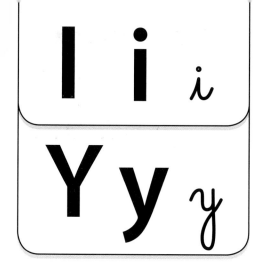

1 Combien de fois entends-tu le son 🅸 dans chaque image ?

2 Combien de fois vois-tu la lettre **i** dans les mots suivants ?

tulipe   bougie   pissenlit   pyjama   tipi

3 Combien de fois vois-tu la lettre **y** dans les mots suivants ?

stylo   ile   tipi   girafe   cygne   pyjama

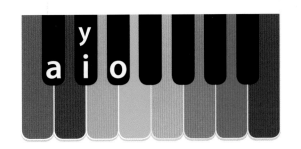

1 Combien de fois entends-tu le son **O** dans chaque image ?

2 Combien de fois vois-tu la lettre **O** dans les mots suivants ?

domino   crocodile   tomate

robot   moto   kimono

3 Lis cette ligne.

a A i o y A a Y O I a i O

1 Combien de fois entends-tu le son  dans chaque image ?

2 Combien de fois vois-tu la lettre **u** dans les mots suivants ?

lune   tortue   cube

écureuil   jupe   fusée

3 Lis cette ligne.

y   I   U   i   o   u   Y   A   y   a   O   u   o

E e *e*

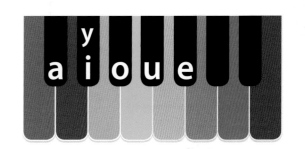

1 Combien de fois entends-tu le son **e** dans chaque image ?

2 Combien de fois vois-tu la lettre **e** dans les mots suivants ?

cheval   biberon   renard   peluche

cerise   chemin   requin   marmelade

3 Lis cette ligne.

A *e* e a I *u* u e i U *i* y *y* o E

é é

è è

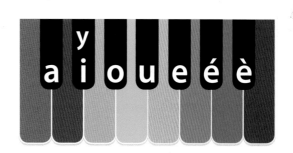

1 Combien de fois entends-tu le son **é** dans chaque image ?

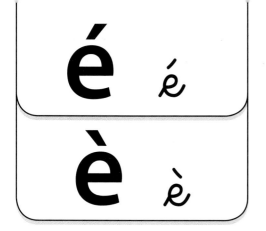

2 Combien de fois vois-tu la lettre **é** dans les mots suivants ?

blé   télévision   téléphone   éléphant   vélo

3 Combien de fois entends-tu le son **è** dans chaque image ?

4 Combien de fois vois-tu la lettre **è** dans les mots suivants ?

chèvre   règle   zèbre   sirène   rivière

5 Lis cette ligne.

a É u O é i è É y è È Y é

1 Sur le piano, je joue et je chante le son des voyelles.

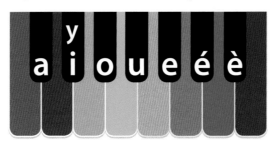

2 Je nomme chaque dessin et je montre la ou les voyelles que j'entends.

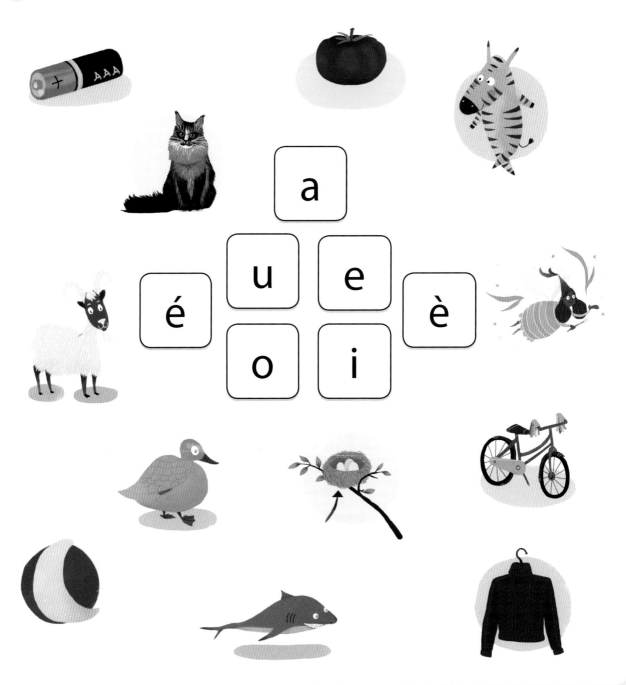

L l

Le lutin aime la lavande.

1 Je combine les lettres pour produire des syllabes.

l → a	→ la	a → l → al
l → e	→ le	i → l → il
l → i	→ li	o → l → ol
l → o	→ lo	u → l → ul
l → u	→ lu	é → l → él
l → é	→ lé	
l → è	→ lè	
l → y	→ ly	

2 Je lis les syllabes.

lé   la   ol   le   li   ul   lo

3 Je m'entraine sur le piano.

4 Je lis des mots.

le   la   il   Allo ?   Lili   Lola   le lilas

13

F f *f*

Elle souffle sur les flammes rouges du feu.

1 Je combine les lettres pour produire des syllabes.

f → a   → fa   a → f   → af

f → e   → fe   i → f   → if

f → i   → fi   o → f   → of

f → o   → fo   u → f   → uf

f → u   → fu   é → f   → éf

f → é   → fé

f → è   → fè

2 Je lis les syllabes.

fa   fo   of   fe   fi   fu   fé   af

3 Je m'entraine sur le piano.

4 Je lis des mots.

la fée   le fil   la fo lie   af fo lé

Mots outils 🔧

le   la

un   une

il   elle

1 Je peux déjà lire ces mots.

le   la   il

2 Je regarde bien ces autres mots et je les mets dans ma mémoire.

elle   un   une

3 Je relis tous les mots outils.

un   la   le   elle   il   une

4 Je lis des mots.

le lilas   un lilas

la fée   une fée

il lit   elle lit

> **Attention !**
> Quand tu vois une lettre en gris, c'est que l'on n'entend pas ce son.

Dans ton manuel, tu découvriras d'autres petits mots à apprendre par cœur. Ils seront toujours dans cette boite à outils :

Mots outils 🔧

▶ le · une

CH ch _ch_

Le **ch**at orange **ch**atouille le **ch**ien.

1 Je combine les lettres pour produire des syllabes.

ch → a → **ch**a	a → ch → a**ch**
ch → e → **ch**e	i → ch → i**ch**
ch → o → **ch**o	o → ch → o**ch**
ch → u → **ch**u	u → ch → u**ch**
ch → é → **ch**é	
ch → i → **ch**i	
ch → è → **ch**è	

2 Je lis les syllabes.

ché	**ch**i	a**ch**	**ch**e
chu	**ch**è	**ch**o	**ch**a

3 Je m'entraine sur le piano.

4 Je lis des mots.

le **ch**at   une fi**ch**e   fâ**ch**é / il lè**ch**e

5 Je lis une phrase.

La fée Lili a un **ch**at.

S s

Le **s**erpent vert **s**iffle **s**ur le **s**able.

1 Je combine les lettres pour produire des syllabes.

s → a	→	sa
s → i	→	si
s → o	→	so
s → e	→	se
s → u	→	su
s → é	→	sé
s → y	→	sy

a → s	→	as
i → s	→	is
o → s	→	os
u → s	→	us
é → s	→	és

2 Je lis les syllabes.

sa	os	su	sé	is	sè	as	so

3 Je m'entraine sur le piano.

4 Je lis des mots.

un a**s**   un o**s**   la cha**ss**e   un **s**ofa   a**ss**is / il **s**alit

5 Je lis des phrases.

◖ La fée cha**ss**e le chat.

◖ Le chat affolé **s**e fâche.

◖ A**ss**i**s** <u>sur</u> le sofa, le chat se lèche !

Mot outil

▸ <u>sur</u>

17

 le lutin
 le feu
 le chat
 le serpent

1 Je lis des syllabes.

sé   af   lu   chu   fi   ly   us

le   is   sy   fu   chè   al   fa

2 J'utilise le piano pour chanter ces syllabes.

sa che   fo la   ul so

il cha   fe lo cho   os fé

3 Je nomme chaque dessin et je lis la syllabe qui lui correspond.

cha – che – lu – fu – si

18

1 Je relis des mots.

- le   la   Allo   Lili   il   le lilas

- la fée   un fil   affolé   la folie

- le chat   une fiche   fâché / il lèche

- un as   un os   la chasse   un sofa
  assis / il salit

2 Je relis des phrases.

- La fée chasse le chat.

- Le chat se fâche.

- Il se lèche.

3 Je lis un petit texte.

- La fée Lili a un chat.

  Le chat, assis sur le sofa, se lèche.

  La fée le chasse. Elle se fâche.

  Le chat affolé fuit.

M m *m*

Le **m**a**mm**outh **m**auve **m**âche
un cha**m**allow.

1 Je combine les lettres pour produire des syllabes.

m → a	→ ma	é → m	→ ém
m → e	→ me	o → m	→ om
m → i	→ mi	i → m	→ im
m → o	→ mo		
m → u	→ mu		

2 Je lis les syllabes.

| ma | mé | my | me | mi | mu | mè |

3 Je m'entraine sur le piano.

4 Je lis des mots.

une lame – ma mamie – mal – un lama – un ami
une mèche / il mâche – il filme – il allume

5 Je lis des phrases.

- Le lama mâche.
- Mamie filme le lama.
- Ali allume une mèche, <u>alors</u> Lili fuit !

Mot outil

alors

20

R r

Le renard roux rôde autour du ring.

1 Je combine les lettres pour produire des syllabes.

r → a   → ra   a → r   → ar

r → e   → re   i → r   → ir

r → i   → ri   o → r   → or

r → o   → ro   u → r   → ur

r → u   → ru   è → r   → èr

2 Je lis les syllabes.

ra   rè   or   re   ri   ur   ré   ro

3 Je m'entraine sur le piano.

4 Je lis des mots.

une rame – une ruche – une mare – une rafale
riche / il râle – il arrache

5 Je lis des phrases.

▪• Lola rame sur la mare.

▪• Une rafale arrache la rame.

▪• Lola lâche la rame, elle râle! Elle se fâche.

21

N n 𝓃

Le **n**ai**n** a mis sa te**n**ue bleue mari**n**e.

1 Je combine les lettres pour produire des syllabes.

n → a   ⟶ **na**   a → n   ⟶ **an**

n → e   ⟶ **ne**   é → n   ⟶ **én**

n → i   ⟶ **ni**   i → n   ⟶ **in**

n → o   ⟶ **no**

n → u   ⟶ **nu**

2 Je lis les syllabes.

né   **no**   **én**   **ne**   **ni**   **nu**   **né**

3 Je m'entraine sur le piano.

4 Je lis des mots.

la lu**n**e – u**n** â**n**e – une **n**iche – une **n**ari**n**e
un **n**uméro – le re**n**ard – un a**n**imal – un a**n**a**n**as
une machi**n**e / elle rumi**n**e

5 Je lis des phrases.

Mot outil 🍴

est   il/elle est
     c'est

• L'â**n**e **s**e lè**ch**e une **n**ari**n**e.

• Le re**n**ard <u>est</u> un a**n**imal.

• L'animal, assi**s** sur sa **n**iche, mâche un os.

le ma**mm**o**u**th

le re**n**a**r**d

le **n**ai**n**

1 Je lis des syllabes.

nè   se   na   li   ma   or   ni   fe

ché   my   ru   af   as   fé   no   re

2 J'utilise le piano pour chanter ces syllabes.

3 Je nomme chaque dessin et je lis la syllabe qui lui correspond.

ra   –   mo   –   re   –   nu   –   ar

23

1 Je relis des mots.

- une lame – mal – un lama – un ami
- la rame – une mare – une rafale – une ruche
- un âne – le renard – une niche – un ananas
- elle filme – elle mâche – il arrache – il râle

2 Je relis des phrases.

- La fée filme un lama. Le lama râle.
- Une rafale arrache la rame.
- L'animal, assis sur la niche, mâche un os.

3 Je lis un petit texte.

- Le renard, assis sur la niche, mâche un os.
  La fée le filme. Le lama mord l'animal.
  Alors le renard lâche l'os,
  il est affolé. Il a mal !

V v

L'avion **v**iolet **v**ole au-dessus des **v**ague**s**.

1 Je combine les lettres pour produire des syllabes.

v → a	⟶	va
v → i	⟶	vi
v → o	⟶	vo
v → e	⟶	ve
v → u	⟶	vu

é → v	⟶	év
a → v	⟶	av
o → v	⟶	ov
u → v	⟶	uv
i → v	⟶	iv

2 Je m'entraine sur le piano.

3 Je lis les syllabes.

vo	vu	iv	va	vé	èv	ve

var	vol	avi	ava	vali	vora

4 Je lis des mots.

une **v**ache – la **v**ie – une fè**v**e – la **v**ue – un **v**élo
un che**v**al – la **v**ille – le na**v**ire / il **v**ole – il a**v**ale

5 Je lis des phrases.

• La **v**a**ch**e **r**u**m**ine.

• Lola **v**ole le **v**élo <u>de</u> **V**éra.

• Ali, l'ami <u>de</u> Lili, a avalé la fève. Il a mal !

Mot outil 🍴

▸ <u>de</u>

25

J J *j*

Julie a une jolie jupe jaune !

1 Je combine les lettres pour produire des syllabes.

j → a	→ ja		a → j	→ aj
j → e	→ je		i → j	→ ij
j → o	→ jo		o → j	→ oj
j → u	→ ju		u → j	→ uj
j → é	→ jé		é → j	→ éj

2 Je m'entraine sur le piano. 🎹🎹

3 Je lis les syllabes.

ji	jo	ju	aj	jé	je	éj
jar	jul	jura	joli	majo	jave

4 Je lis des mots.

un jus – la jumelle – un javelot

joli / je jure

5 Je lis des phrases.

- Julie a une jumelle.
- Il a lavé <u>les</u> jolis javelots.
- La jolie jumelle de Lili se nomme Julie.

Z z

Zou! Le **z**èbre marron **z**ig**z**ague au **z**oo.

1 Je combine les lettres pour produire des syllabes.

z → é   ⟶ zé   o → z   ⟶ oz

z → o   ⟶ zo   a → z   ⟶ az

z → a   ⟶ za   i → z   ⟶ iz

z → e   ⟶ ze   u → z   ⟶ uz

z → è   ⟶ zè

2 Je m'entraine sur le piano.

3 Je lis les syllabes.

za	zé	zi	az	zo	zu	zè
zar	liz	azu	zona	zigo	ziza	

4 Je lis des mots.

un **z**oo – une **z**one – le lé**z**ard – **z**éro

une ri**z**ière – le ja**zz** – **Z**oé

Mots outils

▶ <u>au</u> – <u>avec</u>

5 Je lis des phrases.

• **Z**oé a vu un lé**z**ard.

• **Z**oé va <u>au</u> **z**oo de sa ville <u>avec</u> Lili.

• Le chat de **Z**oé a chassé le lé**z**ard sur le mur.

l'avion

la jupe

le zèbre

1 J'utilise le piano pour chanter ces syllabes.

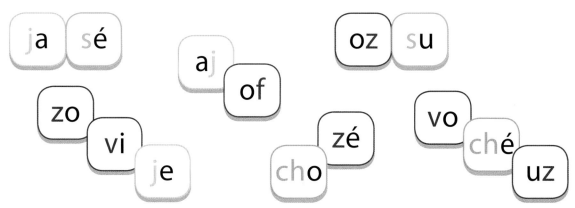

ja sé

aj

of

zo

vi

je

cho

zé

oz su

vo

ché

uz

2 Je lis des syllabes.

zur   vif   val   raz   léza   jumè   alma

jano   isma   mia   févi   éva   rizo   soja

3 Je nomme chaque dessin et je lis la syllabe qui lui correspond.

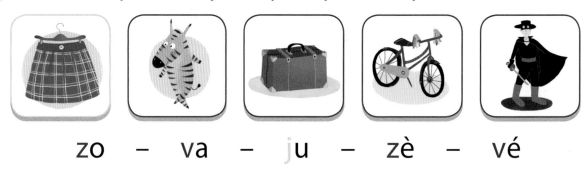

zo – va – ju – zè – vé

1 Je relis des mots.

- la fée – le chat – un os – une lame – une narine
- une vache – la vie – la fève – la sève – la vue
- un jus – joli – un javelot – la jumelle
- un zoo – une zone – le lézard – zéro
- il arrache – il avale – il lave – elle allume

2 Je lis des phrases.

- Ali a filmé Zoé. Elle a volé le vélo de Véra.
- La jumelle de Lili a vu Lola, elle a volé un javelot !
- Au zoo, Julie a vu un lézard sur le mur.

3 Je lis un petit texte.

- Le chat a avalé le joli lézard ! Lola s'affole !
  Le chat vomit sur le sofa.
  Fâchée, Lola lave l'animal. Alors, il fuit
  avec zèle !

P p 𝓅

Olá

Le perroquet pistache parle portugais.

1 Je combine les lettres pour produire des syllabes.

p → a	→ pa		a → p	→ ap
p → i	→ pi		i → p	→ ip
p → o	→ po		o → p	→ op
p → u	→ pu		u → p	→ up
p → é	→ pé		é → p	→ ép

2 Je m'entraine sur le piano.

3 Je lis les syllabes.

pa	op	ip	pu	py	pè	ép

par	pil	napo	capu	opé	répa

4 Je lis des mots.

Papa – un pavé – une pie – la pizza – la part
une pomme – la jupe – un pot – une épée /
je répare – il parle – elle punit

> **Mot outil** 🍴
>
> ▶ puis

5 Je lis des phrases.

- Papa a vu une pie.
- La pie a volé une pomme <u>puis</u> une fève.
- Papa chasse la pie sur la pizza, <u>puis</u> il avale sa part.

30

T t *t*

Le **t**igre **t**urquoise **t**éléphone à **t**on**t**on.

1 Je combine les lettres pour produire des syllabes.

t → a	⟶	ta
t → o	⟶	to
t → è	⟶	tè
t → u	⟶	tu
t → i	⟶	ti

é → t	⟶	ét
a → t	⟶	at
o → t	⟶	ot
i → t	⟶	it
u → t	⟶	ut

2 Je m'entraine sur le piano.

3 Je lis les syllabes.

ti	tu	at	ty	to	té	te
tar	tof	til	tur	oto	tité	totu

4 Je lis des mots.

une **t**ache – une **t**asse – un **t**apis – vi**t**e – **t**a mo**t**o
une **t**or**t**ue – du pâ**t**é – la pa**tt**e – un é**t**é /
il méri**t**e – **t**u por**t**es – il appor**t**e – elle évi**t**e

5 Je lis des phrases.

• Romane a une **t**ache sur sa jupe.

• Il y a une **t**ache sur le **t**apis de Véra.

• Vi**t**e, **T**atie, ta jupe a été tachée, lave-la !

31

C c c

Le coq dit « cocorico » au cochon rose.

---

1 Je combine les lettres pour produire des syllabes.

c → a   → ca   a → c   → ac

c → o   → co   i → c   → ic

c → u   → cu   o → c   → oc

---

2 Je m'entraine sur le piano.

---

3 Je lis les syllabes.

ca	éc	ic	co	ac	uc
car	col	comi	caro	pico	cola

---

4 Je lis des mots.

une cave – le café – le cacao – un choc
le canapé – une caméra – un car – un sac
une école – chic – caché – à côté /
elle casse – je recule

Mots outils 🍴

à – du – chez

---

5 Je lis des phrases.

• Le car recule. Zut! Un choc!

• Luc va à l'école, il porte un sac.

• Chez Lola, Luc a caché la caméra à côté du canapé.

le **p**erroquet

le **t**igre

le **c**ochon

1 J'utilise le piano pour chanter ces syllabes.

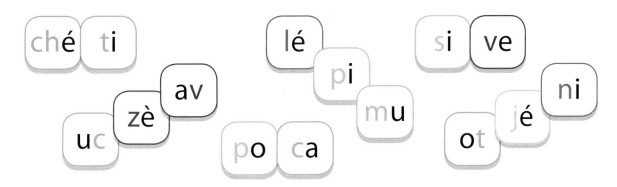

ché ti

av
zè
uc

lé
pi
mu
po ca

si ve
ni
jé
ot

2 Je lis des syllabes.

por   tac   cop   capo   poma   nari   sono

éco   apor   voca   vari   pista   porti   artic

3 Je nomme chaque dessin et je lis la syllabe qui lui correspond.

ta – co – pi – ca – té

1 Je lis des phrases.

- Le chat casse la tasse de Véra.

- Le chat recule. Il se cache.

- Le chat évite Véra !

2 Je lis un petit texte.

- Le chat a cassé la tasse de Véra.
  Il a taché la jupe de Julie.
  Il se cache à côté du canapé.

3 Je lis un texte.

- Chez Véra, le chat a cassé la tasse à café.
  Il a taché le tapis, il a sali la jupe de Julie.
  Papa punit le chat de Véra. Puis, assis à côté
  du canapé, le chat évite Papa !

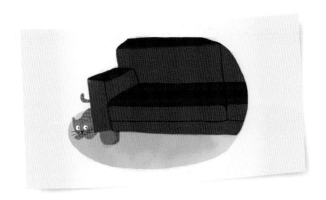

B b _b_

La **b**aleine **b**leue **b**oit au **b**i**b**eron.

1 Je combine les lettres pour produire des syllabes.

b → a	→	**b**a
b → i	→	**b**i
b → o	→	**b**o
b → u	→	**b**u
b → è	→	**b**è

a → b	→	a**b**
i → b	→	i**b**
o → b	→	o**b**
é → b	→	é**b**

2 Je m'entraine sur le piano.

3 Je lis les syllabes.

bi	**b**u	a**b**	**b**é	**b**o	è**b**	**b**y

bol	a**b**é	la**b**o	**b**évu	**b**alo	o**b**é

4 Je lis des mots.

une **b**iche – une **b**alle – une **b**anane – la **b**ulle
une **b**otte – le **b**us – une **b**osse – un **b**é**b**é
un lava**b**o – le ro**b**ot / il o**b**éit – je **b**arre – il **b**ave

5 Je lis des phrases.

• Le **b**é**b**é cache la **b**alle du chat.

• Le **b**us évite la **b**iche affolée.

• **B**arna**b**é <u>n</u>'a <u>pas</u> o**b**éi, il a **b**u le jus de **b**anane.

> **Mots à retenir**
>
> ▶ ne/n'... pas

35

D d *d*

Le **d**roma**d**aire boit une grena**d**ine **d**ans le **d**ésert.

1 Je combine les lettres pour produire des syllabes.

d → u	→ **d**u	é → d	→ é**d**
d → e	→ **d**e	o → d	→ o**d**
d → é	→ **d**é	i → d	→ i**d**
d → a	→ **d**a	a → d	→ a**d**
d → i	→ **d**i		

2 Je lis les syllabes.

di **d**u a**d** **d**è **d**o é**d** **d**y

dor **d**if é**d**u ba**d**i **d**iva ra**d**o

3 Je m'entraine sur le piano.

4 Je lis des mots.

un **d**é – le **d**ébut – la **d**ate – un ra**d**is – le **d**os
rapi**d**e – **d**oré – vi**d**e / il **d**éborde – je **d**émarre
il **d**évore – elle **d**it – tu **d**ors

Mots outils 🍴

▶ dans – des

5 Je lis des phrases.

- **D**avi**d** **d**évore <u>des</u> ra**d**is.
- Ja**d**e **d**émarre sa moto <u>dans</u> la rue.
- **D**imitri a **d**ormi sur le canapé au **d**ébut **d**u film.

G g _g_

Le **g**arçon re**g**arde ses **g**ants **g**ris.

1 Je combine les lettres pour produire des syllabes.

g → a   ⟶   ga   a → g   ⟶   ag

g → o   ⟶   go   i → g   ⟶   ig

g → u   ⟶   gu   o → g   ⟶   og

2 Je m'entraine sur le piano.

3 Je lis les syllabes.

ga	ég	gu	ig	go	ag
gar	gaf	gre	égo	déga	galo

4 Je lis des mots.

une **g**affe – une **g**are – la **g**omme – un car**g**o
la **g**renadine – **g**rave – **g**ros – **g**rosse /
il **g**obe – je re**g**arde – elle **g**arde – il ri**g**ole

5 Je lis des phrases.

- **G**ustave avale sa **g**renadine.

- Le cargo est un **g**ros navire.

- Gaspard **g**obe une **g**rosse banane. Il me re**g**arde et je ri**g**ole !

Mot outil

▶ <u>et</u>

37

la baleine

le dromadaire

le garçon

1 J'utilise le piano pour chanter ces syllabes.

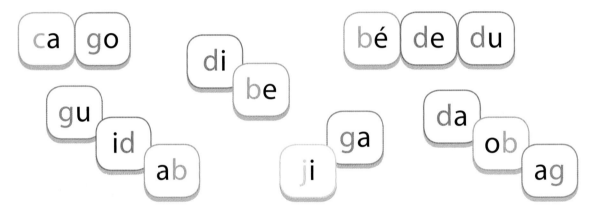

ca go

di be

bé de du

gu id ab

ga ji

da ob ag

2 Je lis des syllabes.

bal   gaf   dur   bari   roda   égar   diva

démo   gala   déga   biza   abor   dégra   débor

3 Je nomme chaque dessin et je lis la syllabe qui lui correspond.

ba – di – go – bé – dé

Je choisis un texte et je le lis.

- La vache est grosse.

  Elle regarde dans le vide.

  Elle rumine. Elle bave.

- Le bébé est assis sur le canapé.

  Il cache la balle du chat. Puis il rigole.

  Le chat est assis à côté et il regarde

  le bébé.

- Gustave avale sa grenadine. Il regarde Jade.

  Elle démarre sa grosse moto dans la rue.

  Gustave filme Jade de dos avec la caméra

  de Papa. Oh ! La gaffe ! Il n'a pas obéi, il a pris

  la caméra ! Papa le punit.

H h *h*

Hippolyte a une grande hache.

1 Je combine les lettres pour produire des syllabes.

h → a   → ha   a → h   → ah
h → o   → ho   o → h   → oh
h → i   → hi
h → é   → hé

2 Je lis les syllabes.

| hi | hé | ah | ha | oh | ohé |

| hop | hur | his | hari | héli | héro |

3 Je lis des mots.

une hache – la hutte – un habit – du thé
un haricot – un hamac – un héros – la hotte
un homme – un hippopotame – un hélicoptère
un hôpital / il hisse – il hurle

4 Je lis des phrases.

- Un hippopotame ne dort pas dans un hamac!

- Harry a une hache et porte un habit de héros.
  Hélène le voit, elle hurle!

- Oh! Hisse! Hugo hisse l'homme sur un hamac,
  il l'attache et l'hélicoptère décolle.

Les gros mots

Julie adore lire. Elle admire les mots, elle les lit, elle les dit et les dévore dans les livres. Elle les préfère petits, chics et jolis !

Mardi, Julie est sur un lit, elle lit. Elle a vu un drôle de mot dans le dico. Elle le regarde, il est bizarre, il est moche, il râle et il crie !

Le mot n'est pas comme d'habitude… Oh ! là ! là ! **UN GROS MOT** !

Julie se cache et l'imite! Elle le dit, le répète et elle rit! Alors, vite, elle l'avale. Le gros mot est caché dans sa **bouche**.

Mercredi, Julie repère dans le dico **deux** gros mots, plus gros! Elle les dit, elle rigole et très vite, elle les avale. **Jeudi**, elle avale **même** de très gros mots!

Et samedi, Julie ne parle plus! Elle se niche dans le lit! Elle est triste!

Sa **maman** lui dit : «Tu **es** malade, Julie?» Et là, un des gros mots s'échappe de sa **bouche**!
Sa mère se fâche! Elle la punit.
Les gros mots, hélas, **sont** dans sa **bouche** et ils ne partent plus!
Julie pleure! Elle se fâche très fort. Elle mâche les mots, les mord, les tord, les rumine, les évite et les crache!

Les gros mots, abattus, capitulent et volent. Ils **sont** partis! Julie est rassurée et libre! Elle dit des petits mots, des mots chics et jolis comme elle les adore!

Graphèmes complexes

Tu vas maintenant découvrir
des sons plus difficiles qui s'écrivent
souvent avec plusieurs lettres.

au au

eau eau

le chapeau • la taupe

1 Je lis des syllabes.

meau	sau	reau	cau	jau
tau	neau	vau	fau	teau

2 Je m'entraine sur le piano.

3 Je lis des syllabes et des mots associés.

meau ⟶ chameau   fau ⟶ faute

jau ⟶ jaune   gau ⟶ gauche

beau ⟶ beauté   teau ⟶ râteau

4 Je lis des mots.

Tu connais déjà   **o**   un mot – le lavabo – une tomate – du chocolat

au | une taupe – des animaux – une auto – l'aube
jaune – mauve – pauvre
faux → fausse – chaud → chaude
autre / il applaudit

Mot à retenir

▸ aussi

eau | un chapeau → des chapeaux
un bateau → des bateaux – un seau → des seaux
un gâteau → des gâteaux – de l'eau → des eaux

44

Je choisis un texte et je le lis.

- Toto a mis dans son chapeau des petits mots rigolos
  et il a dessiné un chameau sur une moto,
  une taupe dans un bateau
  et un râteau dans un seau d'eau !

- Toto va à la fête de Charlot.
  Il a mis un beau chapeau mauve.
  Il est drôle et rigolo, Toto !
  Il porte dans un seau une petite moto,
  une petite auto, un râteau et un gros cadeau.
  Il apporte aussi un gâteau au chocolat très chaud.
  Bravo !

- Un crapaud saute dans un lavabo.
  Des chevaux avalent des haricots.
  Une autruche écoute la radio.
  Un marteau se cache dans un gâteau.
  Une taupe pilote une drôle d'auto.
  Un chameau porte huit bosses sur le dos.
  Un veau dévore un beau chapeau.
  Une chaussure flotte dans le ruisseau.
  Des cadeaux volent au-dessus du bateau.
  Et hop ! Le beau méli mélo de mots !

ou   ou

le loup

1 Je lis des syllabes.

| dou | chou | sou | bou | cou | nou | vou |

| dou | gou | zou | jour | tour | brou | mous |

2 Je m'entraine sur le piano. 🎹🎹

3 Je lis des syllabes et des mots associés.

pou ⟶ poule   fou ⟶ foule

lou ⟶ louve   mou ⟶ mouche

rou ⟶ route   jou ⟶ bijou

4 Je lis des mots.

| ou |

un fou – le cou – une roue – une tour – le four

la cour – un chou – un loup – un jour – un ours

la louche – une moule – une boule – la mousse

le doudou – un hibou – une moustache

un couteau – la poupée – roux – douze /

il ouvre – elle roule – je goute

5 Je lis des phrases.

• Le loup ouvre la bouche.

• La poule court toujours.

• Le cou de la poupée est tout mou.

Je choisis un texte et je le lis.

- Le loup a toujours mal à la joue. Il dit : « Je souffre ! »
  Le hibou lui donne une soupe. Le loup avale tout :
  « Glou ! glou ! glou ! »
  Il n'a plus mal du tout !
  Alors il ouvre la bouche et avale une poule.

- Le loup a toujours mal partout…
  et surtout à la joue. Il dit : « Je souffre » !
  Le hibou lui donne une soupe au chou.
  Le loup avale tout :
  « Glou ! glou ! glou ! »
  Ouf, il n'a plus mal du tout !
  Alors il ouvre la bouche et avale
  une poule toute rousse.

- Le loup court, il loupe une marche et chute
  dans un trou ! Il a pris un coup sur la joue
  et dans le cou. Il a mal partout, et surtout à la joue.
  Il dit : « Je souffre ! » Et il crie : « Au secours ! »
  Le hibou lui donne une soupe au chou. Le loup avale
  tout : « Glou ! glou ! glou ! » Et tout à coup, tout est fini !
  Il n'a plus mal du tout ! Alors il ouvre la bouche et avale
  une poule toute rousse. Oh ! le filou !

on *on*

om *om*

le cochon • une trompe

On voit **om** devant **m, b, p** !

1 Je lis des syllabes.

| lon | fon | chon | som | mon | ron | don |

| von | jon | gon | bon | trom | dron | gron |

2 Je m'entraine sur le piano.

3 Je lis des syllabes et des mots associés.

pom → po**m**pe

son → ourson

chon → bouchon

fon → fondu

4 Je lis des mots.

on le pont – le fond – un conte – un cochon
du savon – une réponse – un bonbon – le mouton
un melon – un bouton – non – onze – bon
long / elle pond – il ronfle – on gonfle

om la trompe – une pompe – un nombre
une ombre – un pompon / sombre / il tombe

Ne confonds pas !
bon / bonne • ombre / homme

Mots à retenir
mon – ton – son
dont – donc

Je choisis un texte et je le lis.

- « Bonjour Pompon! On joue au ballon? », dit Manon. Le cochon ne répond pas. Il est ronchon. Le tonton de Manon dit : « Ne contrarie pas le cochon! »

- « Bonjour Pompon! On joue au ballon? », dit Manon au cochon. Le cochon ne répond pas. Il reste dans l'ombre. Il est très ronchon. Manon lui montre son ballon et lui dit : « Regarde, il est rond comme un cochon! » Le tonton de Manon la gronde : « Ne contrarie pas le cochon! »

- « Bonjour Pompon! On joue au ballon? », dit Manon au cochon. Le cochon ne répond pas. Il reste dans l'ombre. Il est très ronchon. Manon lui montre son ballon et lui dit : « Regarde, il est rond et sale, comme un cochon! » Le tonton de Manon la gronde : « Ne contrarie pas le cochon! » Manon va dans le salon, monte sur le canapé, gonfle son torse… et boude!

oi *oi*

la p**oi**re

1 Je lis des syllabes.

t**oi**	r**oi**	p**oi**	m**oi**	c**oi**	b**oi**	d**oi**
l**oi**	f**oi**	n**oi**	t**oir**	v**oir**	ch**oir**	n**oir**

2 Je m'entraine sur le piano.

3 Je lis des syllabes et des mots associés.

b**oi** ⟶ b**oi**te   t**oi** ⟶ t**oi**ture

p**oi** ⟶ p**oi**reau   r**oir** ⟶ mir**oir**

v**oi** ⟶ v**oi**le   s**oir** ⟶ bons**oir**

4 Je lis des mots.

> **oi** | le t**oi**t – du b**oi**s – un m**oi**s – une n**oi**x – la j**oi**e
> la v**oi**x – le s**oir** – la s**oi**f – le fr**oi**d – un d**oi**gt
> une v**oi**le – une b**oi**te – une p**oi**re – une ét**oi**le
> un p**oi**sson – un mouch**oir** – une hist**oi**re
> ma v**oi**ture – la patin**oir**e – m**oi** – n**oir** /
> il c**oi**ffe – v**oir** – av**oir** – b**oi**re – pouv**oir**

5 Je lis des phrases.

• Il a s**oi**f, il b**oi**t un jus de p**oi**re.

• Le s**oir**, je lis une hist**oir**e à Grég**oir**e.

• Vict**oir**e est à la patin**oir**e et elle a fr**oi**d aux d**oi**gts.

Je choisis un texte et je le lis.

L'histoire d'un faux roi

Voilà le roi Benoit, il court dans le couloir, il a soif!

Il lève un doigt et dit à son fidèle Éloi:

— Donne-moi à boire! Vite, un jus de poire!

— Oui, mon roi! dit Éloi.

Les amis se regardent et rigolent.

(suite)

Le roi boit et, comme il se voit dans un miroir,

il déclare:

— Éloi, il y a du noir sur ma joue, donne-moi

la boite de mouchoirs, là, dans l'armoire!

— Oui, mon roi! dit Éloi.

— Plus vite! C'est ton devoir! Je suis le roi!

— Oui, mon roi! dit Éloi.

Éloi ouvre un tiroir et sort les mouchoirs. Benoit sourit.

(fin)

— Va voir mon poisson chinois

et apporte-moi le bocal,

décide le roi! Après, on ira sur le toit

pour voir l'étoile du soir.

Benoit voit le poisson et dit:

— Ma foi, il faut lui remettre de l'eau froide!

— Oui, mon roi! dit Éloi.

— Tu vois, le roi a tous les droits, c'est la loi!

Alors ils éclatent de rire. Puis Benoit ajoute:

— On joue encore? À toi de devenir le roi!

au eau

ou

on om

oi

- Pauline se coiffe avec son chapeau à pompons.
  Elle va près du pont pour voir des bateaux.
  Ils ont tous des voiles. Elle a pris avec elle
  son doudou. Elle dit : « Regarde, Doudou,
  il y a des poissons au fond de l'eau ! »

- Pauline se coiffe avec son chapeau jaune à pompons.
  Elle sort et se promène près du pont pour voir
  une course de bateaux. Ils ont des voiles de toile
  et de longs mâts. Elle a pris avec elle son doudou.
  Elle dit : « Regarde, Doudou, il y a des poissons
  tout noirs au fond de l'eau ! »

- Pauline se coiffe avec son beau chapeau jaune
  à pompons. Elle sort et se promène près du pont
  au bord de l'eau pour voir une course de bateaux.
  Ils ont des voiles de toile et de longs mâts en bois.
  Elle a pris avec elle sa poupée et son doudou.
  Elle montre du doigt le fond de l'eau et dit :
  « Regarde, Doudou, il y a des poissons tout noirs,
  ils font des ronds ! »

an *an*

am *am*

un panda • un tambour

On voit **am** devant **m**, **b**, **p** !

1 Je lis des syllabes.

| fan | chan | san | man | ran | nan | van | tam |

2 Je m'entraine sur le piano.

3 Je lis des syllabes et des mots associés.

lan   ⟶   landau   man   ⟶   maman

ban   ⟶   ruban   jam   ⟶   jambon

chan   ⟶   chanson   lam   ⟶   lampe

4 Je lis des mots.

an
un banc – le gant – un rang – le chant – l'ancre
un manteau – ma tante – la hanche – un fantôme
la fanfare – le pantalon – la cantine – un divan
une amande – hanté / il danse – elle chante

am
du jambon – la lampe – le tambour
une ampoule – une ambulance

▶ **Ne confonds pas !**

ancre / ananas • lampe / lama

Mots à retenir

▶ sans – avant – devant

en *en*
em *em*

une t**en**te • un cam**em**bert

On voit **em** devant **m, b, p** !

1 Je lis des syllabes.

| l**en** | f**en** | p**en** | s**en** | m**em** | r**en** | v**en** | **em**b |

2 Je m'entraine sur le piano.

3 Je lis des syllabes et des mots associés.

m**en** ⟶ pim**ent**

r**en** ⟶ par**ent**

d**en** ⟶ d**en**tiste

t**em** ⟶ t**em**pête

4 Je lis des mots.

en
une d**en**t – le m**en**ton – la t**en**te – un **en**fan**t**
la r**en**trée – une p**en**dule – l'**en**cre – v**en**dredi
enchanté – l**en**t – t**en**dre – cont**en**t / elle déf**en**d
il **en**tend – je r**en**verse – m**en**tir – s**en**tir

em
la t**em**pête – un **em**pire – le t**em**ps
un **em**ballage – **en**semble / il **em**mène
j'**em**brasse – elle **em**porte

Ne confonds pas!

v**en**dredi / venue • r**en**trée / renard

en – entre – ensuite
encore – comment

Je choisis un texte et je le lis.

- Dorian chante tout le temps: dans sa chambre, à la cantine… Aujourd'hui, il se prépare pour le spectacle de l'école. Il enfile un pantalon blanc. Dehors, c'est la tempête! Dorian entre dans la salle en courant. Le spectacle débute. Dorian chante et joue du tambour.

- Dorian chante tout le temps: dans sa chambre, à la cantine… Aujourd'hui, il se prépare pour le spectacle de l'école. Il enfile un pantalon blanc et un cardigan. Dehors, le vent souffle fort. C'est la tempête! Tous les enfants entrent dans la salle en courant. Le spectacle débute! Dorian chante en jouant du tambour devant tous les parents!

- Dorian est un enfant toujours content. Il chante tout le temps: dans sa chambre, à la cantine… Aujourd'hui, il se prépare pour le spectacle de l'école. Il enfile un pantalon blanc et un cardigan avec des rubans sur les manches. Dehors, le vent souffle fort, les branches se cassent. C'est la tempête! Tous les enfants entrent dans la salle de spectacle en courant. Le spectacle débute! Dorian chante en jouant du tambour devant tous les parents!

ai	*ai*	ei	*ei*
ê	*ê*	et	*et*

la l**ai**ne • la n**ei**ge • une fen**ê**tre • un chal**et**

1 Je lis des syllabes.

l**ai**   r**ei**   b**et**   g**ai**   b**ê**   m**ai**   n**é**   ch**ai**

2 Je m'entraine sur le piano.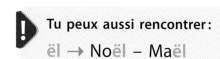

! Tu peux aussi rencontrer :
ël → No**ë**l – Ma**ë**l

3 Je lis des syllabes et des mots associés.

l**et**	⟶	pou**l**et	f**ai**	⟶	f**ai**re	v**ei**	⟶	v**ei**ne
g**ai**	⟶	g**ai**té	t**ê**	⟶	t**ê**tu	v**et**	⟶	nav**et**

4 Je lis des mots et j'apprends d'autres manières d'écrire **è**.

Tu connais déjà   **è**   une ch**è**vre – une fl**è**che – ma m**è**re – mon p**è**re

ê | la f**ê**te – la t**ê**te – une for**ê**t – la fen**ê**tre – la p**ê**che

ai | du l**ai**t – un m**ai**tre – un pal**ai**s
la l**ai**ne – un bal**ai** – la sem**ai**ne
l'**ai**r – fr**ai**s – vr**ai** / il **ai**me

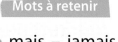
Mots à retenir
▶ m**ai**s – jam**ai**s
m**ê**me

ei | la r**ei**ne – une bal**ei**ne – la p**ei**ne – une madel**ei**ne
une v**ei**ne – s**ei**ze – tr**ei**ze – pl**ei**ne

et | un chal**et** – un bonn**et** – le poul**et** – un jou**et**
un gal**et** – un secr**et** – un sorb**et**

Je choisis un texte et je le lis.

- Le maitre emmène seize élèves au ski. Leurs sacoches sont pleines de bonnets. Ils arrivent dans un chalet. L'air est frais. Ils dégustent des crêpes et ils boivent du lait. Le soir, le maitre lit une histoire : « Le rêve de la reine ».

- Le maitre emmène seize élèves au ski pendant une semaine. Leurs sacoches sont pleines de bonnets et de gants en laine. Ils arrivent dans un chalet. L'air est frais. Ils dégustent des crêpes et ils boivent du lait de chèvre. Le soir, le maitre lit une histoire : « Le rêve de la reine ».

- Le maitre emmène seize élèves au ski pendant une semaine. Leurs sacoches sont pleines de jolis bonnets et de gros gants en laine. Ils arrivent dans un beau chalet près d'une grande forêt. L'air est très frais. Ils dégustent des crêpes, des madeleines et ils boivent du lait de chèvre. Le soir, le maitre lit une histoire pleine de fées et de farfadets : « Le rêve de la reine ».

un pani**er** • le n**ez**

1 Je lis des syllabes.

| l**ez** | r**ez** | t**es** | d**es** | l**er** | pi**er** | mi**er** |

2 Je lis des syllabes et des mots associés.

l**ez** ⟶ vous rou**lez** | l**er** ⟶ par**ler** | v**er** ⟶ trouv**er**

n**ez** ⟶ vous ve**nez** | p**er** ⟶ coup**er** | ch**er** ⟶ cloch**er**

3 Je lis des mots et j'apprends d'autres manières d'écrire « é ».

Tu connais déjà **é** un **é**léphant – l'**é**t**é** – l'**é**cole – l'**é**criture – la cl**é**

er un méti**er** – du papi**er** – le din**er** – un cahi**er**
un pompi**er** – premi**er** – janvi**er** – févri**er** / achet**er**

ez le n**ez** – le r**ez**-de-chaussée – ch**ez** / vous all**ez**

! **Tu peux aussi rencontrer :**
e**d** → pie**d** • **ë** → cano**ë**

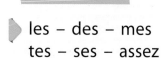

Mots à retenir

les – des – mes
tes – ses – assez

4 Je lis des phrases.

• On va achet**er** des légume**s** ch**ez** le fermi**er**.

• Vous dessi**nez** un cloch**er** sur vos cahi**er**s !

• En févri**er**, vous all**ez** danser au bal des pompi**er**s.

Je choisis un texte et je le lis.

- Dans l'école du quartier, les CP ont beaucoup progressé. Dans la classe, les élèves font de l'écriture sans bavarder. Depuis le début de l'année, ils font des dictées sur un beau cahier. S'ils arrivent à copier assez vite, ils auront le temps de dessiner.

- En janvier, les enfants de CP feront du vélo dans l'allée des Pommiers, ils iront au marché à pied, avec des paniers pour acheter des légumes. Puis, ils partiront skier en février. Ils ont aussi décidé d'aller voir le pâtissier pour découvrir un métier particulier. Pour finir l'année, ils feront un tour en péniche ou en canoë !

- Aujourd'hui, les écoliers écoutent Anaë. Elle montre une affiche sur les étoiles. Elle dit : «Les étoiles sont de grosses boulles de gaz chaud. Vous pouvez les observer si vous le voulez la nuit.» Pour vendredi, Olivier va préparer dans son cahier une fiche sur les sangliers.

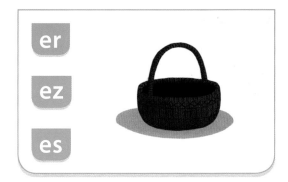

- C'est la fête au palais ! Il y a un bal. Mes amis dansent tous ensemble. Ils sont costumés. Il y a une fée, un pirate, un valet, un pompier et même un fou édenté. Une reine m'embrasse, je l'emmène danser !

- Aujourd'hui, vendredi, c'est la fête au palais !
  Il y a un bal costumé. Mes amis chantent
  tous ensemble. Ils sont costumés et je dois
  les reconnaitre. Il y a une fée avec des ailes,
  un pirate, un valet, un pompier et même un fou
  édenté avec un drôle de bonnet. Une jolie reine
  m'embrasse, je l'emmène danser !

- Aujourd'hui, premier vendredi du mois de janvier,
  c'est la fête dans le petit palais ! Il y a un grand bal
  costumé. Mes amis dansent et chantent tous ensemble.
  Ils sont costumés et je dois les reconnaitre. Il y a
  une fée avec des ailes, un pirate, un valet vêtu de blanc,
  un pompier et même un fou édenté avec un drôle
  de bonnet. Une jolie reine m'embrasse sur le nez,
  je l'emmène danser !

La petite
poule rousse

Attention!
il y a des mots
que tu ne
connais pas
encore, ils sont
en gras.

Dans une **ferme** vivent **quatre** amis : un cochon, un canard, un chat et une petite poule rousse. La petite poule a trois jolis petits. Un jour, en picorant, la petite poule rousse trouve du blé. Elle va voir ses amis et demande :

— **Qui** souhaite venir avec moi pour planter le blé ?

— Pas moi, dit le cochon.

— Pas moi, dit le canard.

— Pas moi, dit le chat.

Alors la petite poule rousse s'en va et plante le blé sans ses amis.

Le blé pousse et pousse encore. Il se transforme en grands épis de blé. Alors la petite poule rousse demande à ses trois amis :

— **Qui** souhaite venir couper le blé avec moi ?

— Pas moi, dit le cochon.

— Pas moi, dit le canard.

— Pas moi, dit le chat.

Alors la petite poule rousse s'en va et coupe les épis de blé sans ses amis.

Ensuite, la petite poule rousse demande aux animaux :

— **Qui** souhaite venir trier le blé coupé avec moi ?

— Pas moi, dit le cochon.

— Pas moi, dit le canard.

— Pas moi, dit le chat.

Alors la petite poule rousse s'en va et trie le blé sans ses amis.

Ensuite, la petite poule rousse demande à ses amis :

— **Qui** souhaite venir moudre le blé trié avec moi, pour préparer de la farine ?

— Pas moi, dit le chat.

— Pas moi, dit le cochon.

— Pas moi, dit le canard.

Alors la petite poule rousse s'en va pour moudre le blé sans ses amis. Et elle prépare la farine.

La petite poule rousse

Après, la petite poule rousse demande à ses trois amis :

— **Qui** souhaite venir préparer du **pain** avec la farine moulue ?

— Pas moi, dit le chat.

— Pas moi, dit le cochon.

— Pas moi, dit le canard.

Alors la petite poule rousse s'en va préparer le **pain** sans ses amis.

Puis la petite poule rousse dit à ses amis :

— **Qui** souhaite venir déguster le **pain que** j'ai préparé moi-même ?

— Moi, dit le chat.

— Moi, dit le cochon.

— Moi, dit le canard.

—Ah ! non ! Je vais déguster le **pain** sans vous, dit la petite poule rousse. Je vais en donner juste à mes trois petits !

Alors devant le canard, le cochon et le chat, la poule et ses petits ont picoré tout le **pain** !

fr pr br gr
tr cr dr vr

1 Je lis des syllabes.

| pra | par | cor | cro | fru | fur | pré |

| tri | tir | pru | pur | fré | bri | bir |

| acro | grena | agri | brico | grelo | prati |

2 Je lis des syllabes et des mots associés.

fr ⟶ i ⟶ fri ⟶ africaine

pr ⟶ é ⟶ pré ⟶ préparer

br ⟶ i ⟶ bri ⟶ abri

cr ⟶ o ⟶ cro ⟶ micro

tr ⟶ è ⟶ trè ⟶ trèfle

vr ⟶ e ⟶ vre ⟶ livre

dr ⟶ a ⟶ dra ⟶ drapeau

cr ⟶ a ⟶ cra ⟶ cratère

> **Mots à retenir**
>
> trop – près – très

3 Je lis des mots.

un **fr**ui**t** – une **pr**une – un a**br**ico**t** – de la **gr**enadine

un **cr**i – une **cr**oix – un li**vr**e – un **tr**uc – le **dr**ap

une cham**br**e – la **dr**oite – un o**gr**e – un **cr**abe

une **br**ebi**s** – une **gr**ue – av**r**il – **dr**ôle – **gr**an**d**

froi**d** – **pr**opre – **tr**iste – **gr**o**s** / il ouv**r**e – **gr**eloter

fl pl bl cl gl

1 Je lis des syllabes.

fal	fla	flé	fli	fil	fle	gli

pla	pil	pli	plu	bla	bal	glu

obli	aglo	éplu	apla	clotu	ublo	écli

2 Je lis des syllabes et des mots associés.

fl ⟶ u ⟶ flu ⟶ éraflure

bl ⟶ i ⟶ bli ⟶ obligé

cl ⟶ o ⟶ clo ⟶ cloche

gl ⟶ e ⟶ gle ⟶ ongle

fl ⟶ è ⟶ flè ⟶ flèche

pl ⟶ a ⟶ pla ⟶ aplatir

Mot à retenir

▸ plus

3 Je lis des mots.

une clé – un clou – un bloc – un clip – une flute

une règle – la pluie – ma classe – le sable – une table

une cloche – un flocon – un flacon – une planche

une éclipse – un crocodile – aimable / elle flotte

je ronfle – il épluche – glisser

Je choisis des phrases et je les lis.

gr Le gros tigre a de grosses griffes.

cr J'ai cru voir la crotte d'un crocodile dans une crêpe !

fl Le flutiste joufflu souffle dans sa flute.

gl Le sanglier glisse en jonglant sur la piste !

br La **br**ebis **br**oute à l'om**br**e d'un ar**br**e.

tr La **tr**iste tortue **tr**otte **tr**op vite, elle **tr**ébuche !

pl Sous la **pl**uie, les tri**pl**és admirent le s**pl**endide tem**pl**e près de la **pl**age.

bl Le pu**bl**ic regarde le formida**bl**e artiste. Sur une ta**bl**e **bl**eue, il crée un ta**bl**eau avec du sa**bl**e **bl**anc.

pr Tu as promis de ne pas t'approcher du prunier.

dr Le drôle de dromadaire au poil dru est mal dressé : il veut prendre à droite !

vr En avril, le givre recouvre encore la prairie… On découvre une chèvre vraiment frigorifiée !

fr Je donne à mon frère des fruits frais, des fraises séchées, du fromage et du lait froid.

cl Clotilde a réclamé les clés de la salle de classe pour préparer un spectacle et un clip sur le climat.

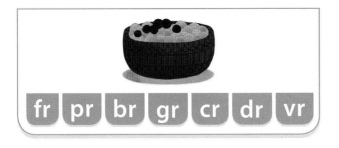

fr	pr	br	gr	cr	dr	vr

fl	pl	bl	cl	gl

1 Je lis des syllabes.

| vre | cro | cre | blé | clo | plu | bli |

| planè | apla | abri | crava | table | fritu |

| clôtu | croco | gravu | droma | agra | plani |

2 Je lis des mots.

une cravate – la clôture – une planète – une grappe

une glissade – un abricot – un tigre – un dromadaire

une griffe – la plaine – un chiffre – le crocodile

une plume – un cartable – la cloche – du sucre /

il agrafe – aplatir – doubler – planter

3 Je lis des phrases.

• La grosse chèvre blanche regarde à gauche et à droite.

• Vendredi, à la cantine, Frédéric prend un flan
à la crème, un fruit et un petit suisse avec du sucre
en poudre.

• Clotilde est triste, elle a perdu son cartable.
Dedans, il y avait un grand livre où un dragon tue
un drôle de crocodile à plumes avec ses griffes.

un lapin • un timbre

On voit **im** devant **m, b, p** !

1 Je lis des syllabes.

| lin | fin | rin | tim | min | din |

| prin | plin | crin | invi | intro | impo | inclu |

2 Je m'entraine sur le piano.

3 Je lis des syllabes et des mots associés.

din → jardin plin → tremplin

min → gamin chin → machin

im → impair sim → simple

4 Je lis des mots.

in | le matin – un sapin – un lapin – un moulin
un poussin – le chemin – un coussin / il invite

im | un timbre – une timbale – impossible
important / elle grimpe – imprimer

5 Je lis des phrases.

• Le lapin est sorti dans le jardin.

• Le marin grimpe en haut du moulin.

• Il a imprimé des cartes et a collé des timbres.

Ne confonds pas !

imiter / imprimé

immense / important

68

ain *ain*
ein *ein*

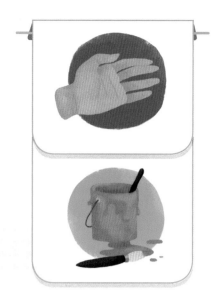

une m**ain** • la p**ein**ture

1 Je lis des syllabes.

m**ain** | l**ain** | t**ein** | p**ain** | b**ain** | p**ein** | g**ain**

2 Je m'entraine sur le piano.

3 Je lis des syllabes et des mots associés.

m**ain** ⟶ lendem**ain**　　　　l**ain** ⟶ vil**ain**

t**ein** ⟶ t**ein**ture　　　　pr**ein** ⟶ empr**ein**te

c**ain** ⟶ améric**ain**　　　　pl**ain** ⟶ pl**ain**te

4 Je lis des mots.

ein la p**ein**ture – le fr**ein** – pl**ein** / ét**ein**dre – p**ein**dre

ain la m**ain** – un hum**ain** – le tr**ain** / pl**ain**dre

! Tu peux aussi rencontrer :
aim → la f**aim** – le d**aim**

Ne confonds pas !
pl**ein** – pleine • pl**ain**te – plaine

5 Je lis des phrases.

• M**ain**tenant, mon cop**ain** est dans le tr**ain**.

• Rom**ain** a p**ein**t un poul**ain** à côté d'un d**aim**.

• Le nain a faim, il ten**d** la main et attrape des grain**s** de blé.

Je choisis un texte et je le lis.

En chemin, Robin raconte à Martin : «Mon parrain est chez nous pour trois jours. Il m'a donné une boite de peinture ! Demain, il m'emmènera voir un poulain.» Mais Martin ne l'écoute pas, il a faim. Il dit à Robin : «Je vais acheter un pain au chocolat, après on ira dans mon jardin.»

En chemin, Robin a plein de trucs à raconter à Martin. Il lui dit : «Mon parrain est chez nous pour trois jours. Samedi matin, il m'a donné une boite de peinture ! Demain, il m'emmènera voir un poulain.» Mais Martin ne l'écoute pas, car il a faim. Il dit à Robin : «Je vais acheter un pain au chocolat ! Après, on ira dans mon jardin.»

En chemin, Robin a plein de trucs à raconter à Martin. Il lui dit : «Mon parrain est chez nous pour trois jours. Samedi matin, il m'a donné une boite de peinture ! Demain, il m'emmènera voir des poussins et un poulain dans la ferme de Firmin. On prendra le train !» Mais Martin ne l'écoute pas, car il a très faim. Il dit à Robin : «Je vais acheter un pain au chocolat ! Après, on ira dans mon jardin et tu verras mon lapin nain.»

oin *oin*

du shamp**oing**

1 Je lis des syllabes.

| f**oin** | p**oin** | s**oin** | c**oin** | m**oin** | l**oin** | gr**oin** |

2 Je m'entraine sur le piano.

3 Je lis des syllabes et des mots associés.

p**oin** ⟶ shamp**oin**g   l**oin** ⟶ l**oin**tain

m**oin** ⟶ tém**oin**   j**oin** ⟶ rej**oin**dre

4 Je lis des mots.

un c**oin** – du f**oin** – le s**oin** – un p**oin**g – un c**oin**g

un tém**oin** – un g**oin**fre – le gr**oin** – un p**oin**t

une p**oin**te – une p**oin**ture – p**oin**tu / j**oin**dre

5 Je lis des phrases.

- «Pren**ds** le stylo p**oin**tu et trace
le trai**t** à partir du p**oin**t.»

Mots à retenir

moins – loin – lointain

- — Je cherche à rej**oin**dre la route de la côte,
c'est encore **loin**?
— Non, c'est sur la p**oin**te, là!

- — Vite, il me fau**t** des soin**s**, j'ai planté ma main
dans les pointe**s** de ma fourche en attrapan**t** le foin!
— Calmez-vous et ouvrez votre poin**g**!

71

Je choisis un texte et je le lis.

Assis sur un tas de foin, le cochon Léon cache son groin. Il a pris un coup de poing, car il a volé des coings. Son copain le rejoint, il a tout vu ! Il regarde le groin de Léon. Il lui donne des soins.

Assis sur un tas de foin, le cochon Léon cache son groin. Il a pris un coup de poing pour avoir volé des coings. Il les a cachés très loin dans un coin. C'est un goinfre ! Son copain le rejoint, il a tout vu, c'est son témoin. Il regarde le groin de Léon et il lui donne des soins !

Assis sur un tas de foin,
le cochon cache son groin.
Il a pris un coup de poing
pour avoir volé tous les coings
du conjoint de son amie.
En plus, il les a cachés très
loin dans un petit coin.
C'est un goinfre, il a toujours faim !
Son copain le rejoint, il a tout vu, c'est son témoin.
Il regarde son groin et il lui donne des soins !
« Il te faut au moins trois points de suture ! »,
dit le copain.

ian	ain

un tri**a**ngle • une m**ai**n

ien	ein

un chi**e**n • la p**ei**nture

ion	oin

un cam**i**on • des p**oi**nts

Je regarde bien l'ordre des lettres pour lire les mots.

▶ **ian**
la vi**a**nde – un tri**a**ngle – un étudi**a**nt
le mendi**a**nt – souri**a**nte – pli**a**nt

ain
le tr**ai**n – ma m**ai**n – du p**ai**n – le vil**ai**n
ton cop**ai**n – un b**ai**n

▶ **ien**
un chi**e**n – l'Indi**e**n
un Canadi**e**n – le ti**e**n – un li**e**n

ein
le fr**ei**n – la p**ei**nture – le s**ei**n
une t**ei**nte – une empr**ei**nte

Mot à retenir

▶ bien

▶ **ion**
le p**i**on – un cam**i**on – un lamp**i**on
un champ**i**on – une miss**i**on

oin
l**oi**n – des p**oi**nts – du f**oi**n – un c**oi**ng
du shamp**oi**ng – un p**oi**ng

73

Je choisis un texte et je le lis.

Petit Indien

Où va le petit Indien avec de la peinture
sur les mains ? Il ne va pas loin ! Il a vu une
empreinte près d'un camion ! C'est surement
celle d'un lion ! Soudain, son chien tient une piste.
Il s'échappe et court vite, vite !

(suite) En attendant son chien, parti en mission, le petit
Indien joue du triangle dans un coin, c'est sa passion !
Sa maman vient le voir, souriante. Elle a préparé
du pain et de la viande pour le repas du soir,
et elle a un panier plein de coings.

(fin) Le chien du petit Indien revient et dépose sur un tas
de foin un bébé lion. Il est mal en point, il lui faut
des soins ! Le petit Indien prévient le chef indien,
c'est le champion des soins. « Ton lion n'a rien,
dit le chef, il a juste faim ! »

une fl**eu**r • un n**œu**d

1 Je lis des syllabes.

| r**eu** | h**eu** | c**œu** | d**eu** | n**œu** | fl**eu** | l**eu**r |

2 Je m'entraine sur le piano.

3 Je lis des mots.

eu
• une fl**eu**r – la p**eu**r – un vol**eu**r – la coul**eu**r
le fact**eu**r – un fl**eu**ve – une h**eu**re – du b**eu**rre
le doct**eu**r – le coiff**eu**r – l'ordinat**eu**r
une od**eu**r – n**eu**f – s**eu**l – j**eu**ne

• un p**eu** – du f**eu** – un j**eu** – un **eu**ro
un chev**eu** – j**eu**di – bl**eu** – d**eu**x

œu
le c**œu**r – ma s**œu**r – un n**œu**d – l'**œu**f – le b**œu**f
un v**œu** – une **œu**vre – la man**œu**vre – éc**œu**rant

4 Je lis des phrases.

• Le vol**eu**r a p**eu**r, il a volé l'ordinat**eu**r du fact**eu**r.

• La **jeu**ne femme a un n**œu**d bl**eu** dans les chev**eu**x.

• La s**œu**r du doct**eu**r a mal au c**œu**r! Elle a avalé
trop de b**eu**rre et elle est éc**œu**rée.

75

Je choisis un texte et je le lis.

● Le facteur a apporté un ordinateur à ma sœur.
Le jeune coiffeur lui a donné en cadeau
des fleurs. Ma sœur les a invités à déjeuner.
Elle a mis à cuire deux œufs frais.

● Jeudi, le facteur a apporté un ordinateur à ma sœur.
Il est venu avec le jeune coiffeur. Le coiffeur lui a donné
en cadeau des fleurs. Ma sœur les a invités à déjeuner.
Elle a mis à cuire deux œufs frais. Le coiffeur a fait
le vœu de prendre son cœur !

● Jeudi, le facteur a apporté un ordinateur à ma sœur.
Il est venu avec son ami le jeune coiffeur. Le coiffeur
lui a donné en cadeau des fleurs entourées d'un beau
nœud bleu. Comme il était tard, ma sœur les a invités
à déjeuner. Elle a mis à cuire deux œufs sur le feu
et a préparé des tartines au beurre frais. Le coiffeur
a fait le vœu de prendre son cœur ! Il est amoureux !

- Martin est dans le train avec un copain, il est marin. Ils vont à Saint-Malo prendre leur bateau. Maintenant, ils ont faim. La sœur de Martin leur a préparé du pain avec du beurre et de la confiture.

- Martin est dans le train avec son copain, il est marin. Ils sont partis tôt le matin. Ils seront demain à Saint-Malo et prendront le bateau. Maintenant, ils ont faim. La sœur de Martin leur a préparé un encas : du pain avec du beurre et de la confiture.

- Martin est dans le train avec son copain, il est marin. Il a un beau costume bleu. Ils sont partis tôt le matin. Ils seront bientôt à Saint-Malo et rejoindront leur bateau. Mais maintenant, ils ont très faim. La sœur de Martin leur a préparé un encas. Ils dégustent du pain avec du beurre et de la confiture.

le **k**épi • le pho**qu**e

1 Je lis des syllabes.

| **k**a | | **qu**e | | **qu**i | | **k**o | | **k**é | | **k**i | | **qu**oi |

2 Je lis des mots et j'apprends d'autres manières d'écrire le son **c**.

Tu connais déjà   **c**   le **c**ochon – une **c**oupe – du **c**arton – le **c**artable

k   un **k**angourou – un **k**imono – le **k**épi – un **k**ilo
un **k**oala – le **k**ios**qu**e – un **k**laxon – un anora**k**

qu   une fla**qu**e – une cla**qu**e – le **qu**ai – une bri**qu**e
une co**qu**e – **qu**atre – brus**qu**e – co**qu**in / il **qu**itte

ch   la **ch**orale – un **ch**œur – l'or**ch**estre

Mots à retenir

qui – que
quoi – quand
pourquoi

! **Tu peux aussi rencontrer :**
q → cin**q** – un co**q**

3 Je lis des phrases.

• Janni**k** est en **k**imono sur le **qu**ai de la gare.

• Le **k**oala porte un **k**épi et saute
dans les fla**qu**es près du **k**iosque.

• **Qu**and le coq, le koala et le kangourou chantent
tous en chœur, c'est une drôle de chorale !

Je choisis un texte et je le lis.

● **Drôles de « cas » dans le kiosque**
Le chef d'orchestre réclame le calme,
c'est un grand kangourou en kimono !
Toute la bassecour se tait.
Le coq accroche le micro
Et claironne quatre « Cocorico » !
Le charivari peut débuter !

● *(suite)* Le koala joue de l'harmonica.
Oscar le canard joue de l'accordéon.
L'okapi remet son képi en klaxonnant.
Les poules caquètent.
Les canes cancanent.
Le caïman claque de la queue sur le kiosque,
et brusquement s'élève le chant de la chorale !
Quel beau tintamarre !

● *(fin)* Dans la bassecour, c'est la panique !
Le coq se moque de l'anorak du koala ! Le phoque
le pousse dans une flaque en lui donnant
quatre grosses claques. Le crocodile crie et tambourine.
Et sans attendre le retour au calme, il croque le coq !
Fini la comédie, plus de bruit…

gn *gn*

la monta**gn**e

1 Je lis des syllabes.

| **gn**i | **gn**o | **gn**u | **gn**a | **gn**é | **gn**an | **gn**on |

| ta**gn**e | ga**gn**an | pa**gn**on | si**gn**ol | gro**gn**e |

2 Je lis des mots.

gn | la monta**gn**e – un si**gn**e – la vi**gn**e – la li**gn**e
un pei**gn**e – un rossi**gn**ol – une bai**gn**oire
un champi**gn**on – une châtai**gn**e
mon compa**gn**on – une si**gn**ature – le si**gn**al
une poi**gn**ée – la campa**gn**e – une arai**gn**ée
un a**gn**eau – une consi**gn**e – une ensei**gn**ante
l'Allema**gn**e – la Breta**gn**e – l'Espa**gn**e
mi**gn**on – gro**gn**on / elle s'éloi**gn**e – je ga**gn**e
il se co**gn**e – il soi**gn**e – il souli**gn**e

3 Je lis des phrases.

• L'a**gn**eau s'éloi**gn**e du sommet de la monta**gn**e.

• L'ensei**gn**ant souli**gn**e les mots *si**gn**al* et *si**gn**ature*.

• En Allemagne, Agnès a soigné un rossignol blessé dans les vignes.

Je choisis un texte et je le lis.

Balade à la montagne

Agnès est à la campagne, près des montagnes
espagnoles. Elle aime les promenades. Ignace,
son compagnon, l'accompagne. Il grignote
un trognon de pomme. Agnès, elle, ramasse
des champignons et des châtaignes.

(suite) Agnès et Ignace traversent une vigne. Une araignée
monte sur le poignet d'Agnès qui dit :
– Oh ! Regarde, Ignace, comme elle est mignonne !
– Bouh, ça me répugne, grogne Ignace.
Il trépigne. Il se met à courir, tombe et s'égratigne
le genou. Agnès le soigne. Il ne saigne plus.

(fin) Ignace appelle Agnès, il a vu
un rossignol dans la vigne.
Avec un signe de la main,
il lui montre le chemin.
Agnès approche lentement,

mais le rossignol l'entend et s'éloigne très vite
en haut de la montagne. Ils arrivent près d'un lac.
La lumière est magnifique ! Au bord, ils voient
un agneau, comme il est mignon ! Ignace n'est
plus grognon, il est même heureux…

ph *ph*

un élé**ph**ant

1 Je lis des syllabes.

pho	**ph**a	**ph**an	**ph**in	**ph**ar	**ph**on

phal	**ph**ir	**ph**éri	**ph**aco	al**ph**a

2 Je lis des mots.

Tu connais déjà **f** un **f**antôme – une mou**f**le / il sou**ff**le – elle **f**ilme

ph une **ph**oto – un télé**ph**one – un **ph**are
un **ph**oque – l'élé**ph**ant – un télé**ph**érique
la **ph**rase – un dau**ph**in – une **ph**otocopie
un **ph**araon – un or**ph**elin – une catastro**ph**e
un triom**ph**e – un **ph**acochère – l'al**ph**abet
l'orthogra**ph**e – un sa**ph**ir

3 Je lis des phrases.

● Da**ph**né prend une **ph**oto de l'élé**ph**ant.

● Dans la **ph**rase, il y a deux fautes d'orthogra**ph**e.

● Avec son magnétophone, Philippe a enregistré le cri
du phacochère.

Je choisis un texte et je le lis.

Dans une ferme d'Afrique

Sophie soigne des animaux en Afrique. Elle a trouvé un petit éléphant. Elle le prend en photo !
Il fait très chaud et les animaux ont soif !
Sophie téléphone à un ami pour qu'il vienne l'aider.

(suite)

Sophie soigne des animaux en Afrique. Elle a trouvé un petit éléphant orphelin. Elle le prend en **ph**oto !
Aujourd'hui, il fait fort chaud ! Tous les animaux sont fatigués et ils ont très soif ! Sophie téléphone à un ami pour qu'il vienne l'aider.

(fin)

Sophie soigne des animaux dans sa ferme en Afrique. Elle a trouvé un petit éléphant orphelin.
Elle le prend en photo, il est vraiment mignon !
Aujourd'hui, il fait fort chaud, c'est une catastrophe !
Tous les animaux sont fatigués et ils ont très soif !
Sophie téléphone à un ami aide-soignant pour qu'il vienne l'aider.

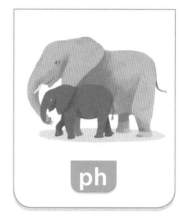

k qu — gn — ph

• Dans un zoo, Katia prend en photo des animaux. Un koala, des éléphants, des phoques, des dauphins, des phacochères et même un crocodile ! Elle observe un vétérinaire qui soigne un éléphanteau tout mignon.

• Dans un zoo, **K**atia prend en **ph**oto des animaux. Un **k**oala, deu**x** élé**ph**ants, trois **ph**o**qu**es, **qu**atre dau**ph**ins, cinq **ph**acochères et même un crocodile ! Elle observe un vétérinaire **qu**i soi**gn**e un élé**ph**anteau. L'animal s'est co**gn**é contre une barrière en bri**qu**es.

• Dans un zoo, Katia, une enseignante, prend en photo tous les animaux. Un koala, deux éléphants, trois phoques, quatre dauphins, cinq phacochères et même un crocodile d'Afrique ! Elle observe un vétérinaire avec une trousse de soins qui soigne un éléphanteau tout mignon, car l'animal s'est cogné contre une barrière en briques.

Boucle d'or et les trois ours

Boucle d'or est une petite **fille** avec de jolies boucles dorées. Elle habite avec sa maman près d'un bois. Sa maman lui dit :
« Boucle d'or, ne t'en va jamais seule dans les bois. C'est imprudent ! »

Aujourd'hui, Boucle d'or se promène au bord du bois. Elle voit sous les arbres une fleur bleue. Un peu plus loin, elle en voit une autre, plus jolie. Et, encore plus loin, elle aperçoit plein de fleurs de toutes les couleurs. Elle fait alors un gros bouquet. Mais, quand elle décide de sortir du bois, elle ne retrouve plus son chemin.

Boucle d'or marche longtemps... elle a très peur. Soudain, elle voit une **maison**. La fenêtre est grande **ouverte**. Elle regarde et découvre trois tables : une grande table, une **moyenne** table et une toute petite table.
Elle goute la soupe dans le grand bol, mais elle est trop chaude. Elle goute alors la soupe de la **moyenne** table, mais elle est trop froide ! Elle

va **vers** la petite table et goute la soupe dans le tout petit bol. Elle n'est ni chaude, ni froide et en plus, elle est très bonne !

Boucle d'or se lève, ouvre une porte, et découvre trois lits : un grand lit, un **moyen** lit et un tout petit lit.

Elle tente de monter sur le grand lit, mais il est bien trop haut. Elle tente de monter sur le **moyen** lit, mais il est bien trop dur.

Alors elle monte sur le tout petit lit, il est parfait !

Elle s'endort. Pendant que Boucle d'or rêve, trois ours arrivent : un grand ours, un **moyen** ours et un tout petit ours.

En entrant, le grand ours dit d'une grosse voix :

«Quelqu'un a touché à ma grande **chaise** !»

Et le **moyen** ours dit d'une **moyenne** voix :

«Quelqu'un a touché à ma **moyenne chaise** !»

Et le tout petit ours dit d'une toute petite voix : « Quelqu'un s'est assis sur ma toute petite **chaise** et a englouti toute ma soupe ! »

Très en colère, les trois ours vont dans la chambre. Le grand ours regarde son grand lit et dit : « Quelqu'un a touché à mon lit ! »

Le **moyen** ours dit : « Quelqu'un est monté sur mon lit ! »

Et le tout petit ours crie, de sa toute petite voix : « Oh ! Il y a une toute petite **fille** dans mon lit ! »

Le cri sort Boucle d'or de sa **sieste**. Elle voit les trois ours. D'un bond, elle saute du lit et s'enfuit par la fenêtre. Mais les trois ours ne sont pas méchants. Le grand ours lui crie de sa grosse voix : « Tu vois, il fallait écouter ta maman ! »

Le **moyen** ours lui crie de sa **moyenne** voix : « Tu as oublié ton bouquet de fleurs ! »

Et le petit ours lui crie de sa toute petite voix : « Pour sortir du bois, prends le chemin à droite ! »

Boucle d'or prend le chemin à droite, et se retrouve hors du bois, juste à côté de chez elle.

Elle pense alors : « Le tout petit ours a été bien mignon. Et pourtant, j'ai dévoré toute sa soupe ! »

la **g**irafe

1 Je lis des syllabes et des mots associés.

 g

g → a → ga → une gare

g → o → go → un goéland

g → u → gu → la figure

gu → é → gué → fatigué

gu → i → gui → une guitare

gu → e → gue → une bague

j

g → é → gé → Il a mangé.

g → i → gi → la girafe

g → e → ge → un genou

ge → o → geo → un pigeon

ge → a → gea → de l'orangeade

> **!** Dans ces mots, on voit g mais on ne l'entend pas:
> longtemps – un poing – un hareng – un étang – un doigt

2 Je lis des mots contenant la lettre **g**.

- la gare – une bague – un gant – un dragon – la langue
  l'escargot – une virgule – un guépard – un gâteau – la fatigue
- le cageot – une gifle – le visage – une tige – le genou – les gens
  un plongeoir – la nageoire / nous nageons – nous mangeons

- le garage – la gymnastique – la gorge – une gorgée
  un langage – une guirlande – un gigot – tes bagages
  un gage – le jonglage – la vengeance – gigantesque /
  elle engage – elle gigote – dégager – négliger – il suggère

Je choisis un texte et je le lis.

- Gaby sort la voiture du garage. Elle range les bagages dans le coffre et Georges change les bougies de la voiture. Les voilà prêts à partir.
Tout à coup, une guêpe pique Georges, son visage gonfle.
Gaby appelle le Samu.

- Gaby sort sa voiture rouge du garage. Elle range les bagages dans le coffre et Georges change les bougies de la voiture.
Tout à coup, une guêpe pique Georges et son visage se met à gonfler. Gaby appelle le Samu.
Les urgentistes arrivent. Ils lui font une piqure. Georges est guéri, mais il est fatigué! Quelle peur!

- Georges et Gaby sont dans le garage. Gaby sort sa voiture rouge puis elle range les bagages dans le coffre. Georges, lui, fait du bricolage: il change les bougies de la voiture.
Tout à coup, une guêpe pique Georges sur la figure et son visage se met à gonfler. Il a très mal. Il s'allonge et il gémit. Gaby appelle le Samu.
Les urgentistes arrivent, ils lui font une piqure.
Ouf, rien de grave! Georges est guéri, mais il est fatigué car il a eu vraiment peur!

c → s / ç → s

la **c**erise • le gar**ç**on

1 Je lis des syllabes et des mots associés.

c

c → a → **c**a → un **c**anard
c → o → **c**o → une **c**orde
c → u → **c**u → un **c**ube

s

c → é → **c**é → un o**c**éan
c → i → **c**i → un **c**itron
c → y → **c**y → un **c**ygne
c → e → **c**e → **c**eci **c**ela

ç → a → **ç**a → la fa**ç**ade
ç → o → **ç**on → un gar**ç**on
ç → u → **ç**u → Il a re**ç**u.

Mots à retenir

▶ ici – ce – ces

! **Dans ces mots, on voit deux** c **mais on entend** k **:**
o**cc**uper – a**cc**rocher – un ra**cc**ourci – un a**cc**ord

2 Je lis des mots contenant la lettre **c**.

- une **c**arte – du **c**afé – un **c**amion – un **c**adeau – un **c**anapé
  une é**c**ole – la **c**lasse – le do**c**teur – mon on**c**le – du su**c**re

- une le**ç**on – un sou**c**i – un **c**il – un ma**ç**on – un gla**ç**on
  la poli**c**e – la fa**ç**ade – une lima**c**e – un imbé**c**ile – fa**c**ile
  ça – **c**inq – **c**ent – **c**inquante / elle dé**ç**oit

- un **c**ahier – les va**c**an**c**es – la **c**uisine – la dire**c**tri**c**e – un **c**apri**c**e
  une **c**i**c**atri**c**e – le **c**iel – une **c**apu**c**ine – un rempla**ç**ant
  une fa**ç**on – un va**cc**in – le su**cc**ès – un a**cc**ident – un a**cc**ès – **ç**a
  une tron**ç**onneuse – fran**ç**ais / je re**ç**ois – nous rempla**ç**ons

Je choisis un texte et je le lis.

- Clémence est en vacances à la mer. François l'accompagne. Il aperçoit un crabe sur le sable, il court ! Trop tard, le crabe s'est caché sous une algue. Les deux camarades escaladent les rochers pour le retrouver.

- Clémence est en vacances près de l'océan. François l'accompagne, c'est son camarade de classe, il est curieux de tout ! Il aperçoit un crabe sur le sable, il court ! Trop tard, le crabe s'est caché sous une algue ! François est déçu. «Viens, on va le retrouver», dit Clémence. Les deux camarades font la course et escaladent les rochers pour le chercher. Quelle chance ! Le voilà !

- Clémence est en vacances. Ses parents ont placé leur caravane dans un camping près de l'océan. François l'accompagne, c'est son camarade de classe, il est curieux de tout ! Il aperçoit un crabe sur le sable, il court ! Trop tard, le crabe s'est caché sous une algue ! François est déçu.
  — Viens, on va le retrouver, dit Clémence.
  — Il y a des crocodiles par là ?
  — Mais non ! Il n'y a pas de crocodiles dans l'océan… mais il y a des pieuvres et des calamars ! Allez, suis-moi ! dit Clémence en riant. Les deux camarades font la course et escaladent les rochers pour chercher le crabe. Quelle chance ! Le voilà !

- Un **g**itan joue de la **gu**itare, il porte des ba**gu**es et un tatoua**g**e sur le **c**ou. Son visa**g**e est **c**rispé. Il chante la ven**g**ean**c**e des **g**en**s** du voya**g**e. Une **g**itane danse du flamen**c**o dans une robe rou**g**e ! On voi**t** son ombre sur la fa**ç**ade. Tout le monde les re**g**arde !

- Dans le villa**g**e, un **g**itan joue de la **gu**itare. Il porte de **g**rosse**s** ba**gu**es et un tatoua**g**e de dra**g**on sur le **c**ou. Son visa**g**e est **c**rispé, **c**ar il chante la ven**g**ean**c**e des **g**en**s** du voya**g**e… **C**'est une lan**gu**e étran**g**e. Une **g**itane en robe rou**g**e danse du flamen**c**o, elle est superbe ! On voi**t** s'a**g**iter son ombre sur la fa**ç**ade. Tout le monde les re**g**arde !

- Dans le village, près d'une école, un gitan joue de la guitare. Un singe est assis à ses côtés. L'homme porte de grosses bagues et un tatouage de dragon sur le cou. Son visage est crispé car il chante la vengeance des gens du voyage dans une langue étrangère, avec un fort accent. Une gitane danse du flamenco dans une robe rouge et orange, elle est superbe ! On voit son ombre s'agiter sur la façade de l'école. Tout le monde les regarde en silence, quels génies !

Les taches attaquent

Non! Non! Non!

Ce matin, rien ne va plus! Lilian est en retard. En déjeunant, il fait tomber sa tartine dans son bol de chocolat. Le bol glisse, se **renverse** et dégringole! Le chocolat gicle partout et, sur le sol, le bol se casse!

Aïe, aïe, aïe! Pauvre Lilian! Il fait des yeux tout ronds! Il regarde son polo rouge… Catastrophe!

Maintenant, il n'est plus rouge!

Puis il hurle:

«Maman! Maman! Les taches m'attaquent, elles salissent mon polo préféré et elles s'étalent de plus en plus! Au secours! Maman, les taches grossissent!»

Quand arrive Maman, Lilian montre son polo et tire dessus. Il continue:

«Regarde, elles s'étalent! On dirait qu'elles s'attachent!»

Lilian n'en renvient pas, les taches montent à l'assaut de

son polo! Elles s'étalent, elles s'étendent et se répandent en plusieurs gros ronds tout marron.

Et voilà, les taches sont collées sur son polo, elles se sont vraiment bien incrustées! Lilian est stupéfait!

Puis tout à coup, il éclate de rire: « J'ai des taches, pistache!»

Maman n'est pas fâchée, elle regarde Lilian et sourit gentiment en lui disant:

— Viens, nous allons laver tout ça avec de la mousse pour taches!

— Mousse, taches! Moustaches? Ta grand-mère a des moustaches! reprend Lilian amusé en regardant les vilaines taches.

— Mais tu sais, les taches, ça tache! prévient Maman.

Maman a raison. Les taches s'agrippent au polo. Heureusement, face à la mousse pour taches de Maman, les voilà déjà moins tenaces! Peu à peu, elles se transforment, se décolorent et se détachent!

Sur le polo de Lilian, il ne reste bientôt plus une tâche! Lilian embrasse sa maman: « Bravo, Maman! Mon polo préféré est finalement sauvé! Tu as vaincu les taches! Promis, la prochaine fois, je mettrai un tablier!» ●

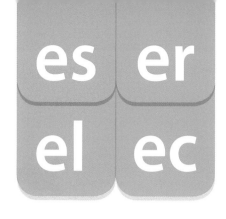

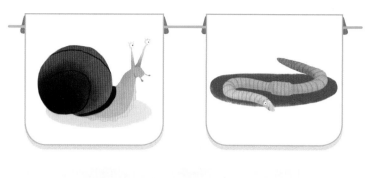

un **es**cargot • un v**er**

1 Je lis des syllabes.

Tu connais déjà **è**

Tu vas apprendre d'autres manières de l'écrire.
e devant **s, r, l, c** = **è**

s**er** m**el** p**er** n**el** p**ec** m**er** s**er**

m**ec** t**er** d**er** p**er**so **es**ca **es**to

2 Je lis des mots.

es
un **es**cargot – l'**es**crime – un **es**calier – un **es**cabeau
une v**es**te – un g**es**te – la si**es**te – l'**es**crime – l'**es**calade
l'int**es**tin – l'**es**tomac / il r**es**te

er
un v**er** – la m**er** – l'hiv**er** – un conc**er**t – le v**er**re – de l'h**er**be
un p**er**roquet – un c**er**f – une p**er**sonne – m**er**credi – m**er**ci
p**er**du – v**er**t – sup**er**be / il v**er**se – on p**er**d

el
du s**el** – le ci**el** – le caram**el** – le g**el** – du mi**el**
un colon**el** – l'app**el** – natur**el**

ec
un b**ec** – la l**ec**ture – un ins**ec**te – un r**ec**tangle
un adj**ec**tif – un éch**ec** – s**ec** – dir**ec**t

3 Je lis des phrases.

• Un p**er**roquet attrape un v**er** av**ec** son b**ec**.

• Ern**es**t fait de l'**es**calade en hiv**er** av**ec** une p**er**sonne habile.

• Hier, il a versé du caramel dans un verre… Quel échec !
Le verre a éclaté.

> **Mots à retenir**
> avec – hier

95

Je choisis un texte et je le lis.

- Un escargot est tombé dans le sel !
  Un merle l'a avalé ! Un serpent s'est
  jeté sur le merle qui s'est envolé !
  Un perroquet a sauté sur le serpent.
  Michel est arrivé, il a tué le serpent
  et a enfermé le perroquet.

- Un escargot est tombé dans un gros pot de sel, il bavait !
  D'un coup de bec, un merle l'a avalé ! Un gros serpent
  s'est jeté sur le merle qui s'est envolé dans le ciel.
  Un perroquet est arrivé. Il a sauté sur le serpent et l'a bloqué
  entre ses serres.
  Michel est arrivé, il a tué le serpent et a enfermé le perroquet.
  Fatigué, il s'est assis sur l'herbe. Alors je l'ai rejoint en lui
  apportant du thé avec du miel.

- Un escargot est tombé dans un gros pot de sel, il bavait !
  Avec son bec tout jaune, le merle en a profité pour attaquer
  l'escargot. Il l'a avalé !
  Un gros serpent vert s'est jeté sur le merle qui s'est envolé
  dans le ciel ! Super !
  Un perroquet est arrivé près de l'escalier, il a sauté sur le serpent
  et l'a bloqué entre ses serres acérées.
  Michel est arrivé en dévalant l'escalier, il a tué le serpent
  et a enfermé le perroquet dans sa cage. Fatigué, il s'est assis
  sur l'herbe… L'alerte était passée !
  Alors je l'ai rejoint en lui apportant du thé avec du miel.
  On a beaucoup ri de cette aventure !

elle ette esse erre enne

1 Je lis des syllabes.

belle	lette	relle	chette	tesse	nerre	tenne

2 Je lis des mots.

elle
une pelle – une nouvelle – la marelle – la poubelle
une échelle – la vaisselle – une coccinelle /
j'appelle – il épelle

ette
une cachette – la toilette – une omelette – des miettes
une allumette – des lunettes – une galette
une fourchette – une mouette – une assiette / elle jette

esse
une tresse – la maitresse – la richesse – une adresse
la tristesse – la tendresse – une caresse – la politesse
la sècheresse – la vitesse / ça m'intéresse

erre
la terre – un verre – une pierre – le tonnerre
la guerre – les serres / elle déterre

enne
une antenne – la benne – un renne – une chienne
une Indienne – la tienne – la mienne – ancienne

3 Je lis des phrases.

- Cette Indienne porte de belles tresses.

- Quel beau renne ! Je veux lui faire une caresse !

- Ma chienne termine les restes de mon assiette
  puis je fais la vaisselle.

Je choisis un texte et je le lis.

- La petite Émilienne joue à la marelle. Elle a des tresses et de jolies lunettes. À côté d'elle, sa chienne fait sa toilette et sa petite chatte gratte la terre à toute vitesse. Son père l'appelle, il va vider les poubelles.

- Devant chez elle, la petite Émili**enne** joue à la mar**elle** près d'une éch**elle**. Elle a des tr**esse**s et de jolies lun**ette**s. À côté d'elle, sa chi**enne** fait sa toil**ette** et sa petite chatte gratte la t**erre** à toute vit**esse**. Puis son père l'app**elle**. « Émili**enne**, dit-il, veu**x**-tu m'aider à sortir les poub**elle**s ? »

- La petite Émilienne est nouvelle dans le quartier. Devant chez elle, elle joue à la marelle près d'une échelle. Elle est très belle, elle a des tresses et de jolies lunettes. Sa chienne fait sa toilette, puis va vers sa maitresse pour se faire caresser. Sa petite chatte gratte la terre à toute vitesse et déterre une pierre. Puis son père l'appelle. « Émilienne, dit-il, veux-tu m'aider à sortir les poubelles ? »

Histoire
à lire

La petite vague

Attention !
il y a des mots
que tu ne
connais pas
encore, ils sont
en gras.

La **cuisinière** verse de l'eau et du gros sel dans sa marmite. Soudain, la marmite se renverse, une petite vague s'échappe et court sur le parquet !
La petite vague part en **voyage**. Elle a un rêve, c'est son secret.

Elle roule sur les pavés, elle roule sur la chaussée et dans la douce herbe des prés.
Elle roule dans les jardins, dans les villes et les villages, elle roule pour arriver sur une plage.

Là, sur le sable, elle attend sagement que la mer monte. La vaguelette rêve de liberté.

«Comme j'aimerais rejoindre l'océan et grandir près de mes sœurs», dit-elle.

Enfin, elle est dans l'eau, dans son berceau! Elle est ravie, elle danse!

Et chaque jour, doucement, elle grandit au gré des vents qui la promènent en suivant l'horizon. Elle forcit et se jette en riant sur de grandes plages. Elle grandit, encore, et elle s'agite sur les rochers, les côtes à pic et les phares.

Elle touche les coques des voiliers qu'elle ne fait jamais chavirer. Elle observe toutes les richesses amassées au fond de la mer, les poissons d'argent et les dauphins qu'elle dépasse en souriant. Étoiles de mer et **coquillage**s, épaves de mer et beaux rivages, elle va dans tous les fonds marins.

Elle grandit, elle grossit. Et ses rouleaux deviennent alors très menaçants. Tous les bateaux l'évitent, et les galets s'entrechoquent dans la terreur et la douleur à son passage. Elle se fâche, se venge et crache toute son écume.

Puis, fatiguée de cette vie, elle se calme, **vieilli**t, rapetisse tout doucement. Elle s'efface, elle se lasse. Sur une plage, elle va finir sa vie, comme le font toutes les vagues de l'océan.

Pour la dernière fois, elle frôle avec douceur les petits pieds d'un jeune enfant.

Et sans effort, le petit garçon attrape une toute petite vague qui, dans son seau, a un secret… ●

Qui o**s**e réveiller les **ssss**... **s**erpents pare**ss**eux ?

1 Je lis des syllabes.

a**s**i	a**ss**i	o**ss**i	u**s**a
oi**s**on	ma**s**u	cou**s**i
po**ss**é	bra**ss**é	li**ss**on

> **!** Le « serpent » dort entre deux voyelles. Quand il est avec son frère, il siffle !

2 Je lis des mots.

● le poi**ss**on – le poi**s**on – un cou**ss**in – mon cou**s**in
un de**ss**ert – le dé**s**ert – un ru**ss**e – une ru**s**e – une ba**s**e
ba**ss**e – une ca**s**e / il ca**ss**e – embra**ss**er – embra**s**er
je vi**ss**e – je vi**s**e

● une pri**s**on – une ba**ss**ine – une cui**s**ine – une cai**ss**e – une pri**s**e
la pau**s**e – la ro**s**e – une ta**ss**e – un va**s**e – la mu**s**ique
la polite**ss**e – la **s**age**ss**e – un vi**s**age – une **s**ai**s**on – la cla**ss**e
la mai**s**on – le plai**s**ir – du rai**s**in / o**s**er – cla**ss**er – ra**s**er – po**s**er

3 Je lis des phrases.

● Loui**s**on mange un de**ss**ert à la frai**s**e.

● En dépo**s**ant une rose dans un va**s**e, elle a ca**ss**é **s**a ta**ss**e.

● Mon cousin a apporté des cai**ss**es de rai**s**in à la mai**s**on,
car c'est la **s**ai**s**on !

Je choisis un texte et je le lis.

- Mon cousin a invité Éloïse au restaurant. Au menu, elle a choisi du poisson et lui, des saucisses. Au moment du dessert, il lui a demandé : «Veux-tu m'épouser ?» Puis il lui a offert une rose et une bague sur un petit coussin. Éloïse a souri, elle est heureuse.

- Mon cousin a osé inviter Éloïse au restaurant. Au menu, elle a choisi du poisson et lui, des saucisses de Toulouse. Au moment du dessert, il lui a demandé : «Veux-tu m'épouser ?» Puis il lui a offert une rose et une bague sur un petit coussin. Éloïse a embrassé mon cousin. Elle est très amoureuse.

- Mon cousin a enfin osé inviter Éloïse au restaurant. Au menu, elle a choisi du poisson à la bordelaise et lui, des saucisses de Toulouse. Au moment du dessert, il lui a demandé :
  – Veux-tu m'épouser ?
  – Oui, a répondu Éloïse en embrassant mon cousin.
  Puis il lui a offert une rose avec un joli vase et une bague posée sur un petit coussin rose. Éloïse est amoureuse, elle est très heureuse.

ill   *ill*

ail - eil - euil - ouil
aille - eille - euille - ouille

1 Je lis des mots.

ill | une fille – une bille – la grille – un papillon –
une brindille – un coquillage / il brille

ail
un vitrail
un portail
un travail

aille
une maille   une bataille
une paille   des écailles
une taille

eil
le soleil
un réveil
un conseil

eille
la veille   une oreille
une bouteille   l'abeille
une corbeille

euil
un écureuil
le seuil
un fauteuil

euille | une feuille

> **Tu peux aussi voir :**
> un œil

ouil | du fenouil

ouille
une grenouille
de la rouille

2 Je lis des phrases.

- L'écureuil joue dans les feuilles.

- Le soleil brille, Camille se réveille,
  dehors elle entend les abeilles.

- Dans la foule, le voleur fouille le sac d'une fille, puis il file !

> **Ne confonds pas !**
> la fille / il file
> une maille / une malle
> la fouille / la foule

104

Je choisis un texte et je le lis.

Beurre de grenouilles

Dans la mare de Gratouille, il y a des grenouilles!
«Je vais faire une ratatouille avec huit grenouilles!»,
s'écrie la sorcière.
Dans la mare, les grenouilles ont la trouille. Gratouille
les trouve et les jette dans un chaudron rempli de crème fraiche.
—Il faut nous échapper! déclare une grenouille.
Nagez et nous serons sauvées!
—Nagez si vous voulez, moi je vous mangerai! hurle Gratouille.
Nos huit grenouilles continuent de patauger, tout essoufflées!
Mais regardez! Que se passe-t-il? La crème gonfle…
«Nagez, sœurs grenouilles… très bientôt nous serons sauvées!»
Gratouille est occupée, elle ne voit pas la crème changer!
Et, chose étrange, la crème battue s'est transformée!
Nos grenouilles l'ont tellement fouettée, qu'elles se reposent
maintenant sur du beurre frais! Les voilà sauvées!
Vite, il faut s'échapper! Dans la tambouille de Gratouille,
il n'y a plus aucune grenouille! Elles sont allées se réfugier
dans le jardin du Père Martin!

Beurre de grenouilles

Dans la mare de Gratouille, il y a des grenouilles!
«Je vais faire une ratatouille avec de la citrouille et au moins
huit grenouilles!» s'écrie la sorcière.
Bien cachées dans la mare, les grenouilles ont la trouille.
Mais Gratouille farfouille et trouve les grenouilles.
En un rien de temps, dans le petit chaudron rempli de crème
fraiche, les grenouilles pataugent.

—Il faut nous échapper! déclare une gren**ouille**. Nagez très
vite et nous serons sauvées!

—Nagez, nagez, si vous voulez, moi je vous mangerai!
hurle Grat**ouille**.

Nos huit gren**ouille**s sont fatiguées, mais elles continuent de
piétiner. Oh, regardez! Que se passe-t-il donc? La crème gonfle…

«Nagez, nagez, sœurs gren**ouille**s… très bientôt nous serons
sauvées!»

Grat**ouille** est occupée, elle ne voit pas la crème changer!

Et, chose étrange, dans le chaudron, la crème battue
s'est transformée! Nos huit gren**ouille**s sont étonnées!

Elles l'ont tellement fouettée qu'elles se reposent maintenant
sur du beurre frais! Les voilà toutes sauvées!

Mais pas le temps de discuter. Vite, il faut s'échapper!

Dans la tamb**ouille** de Grat**ouille**, il n'y a plus aucune gren**ouille**!

Elles sont allées se réfugier dans le jardin du Père Martin!

Beurre de grenouilles

Dans la mare de la sorcière Gratouille, il y a des grenouilles!
«Aujourd'hui, je vais faire une ratatouille… Avec du fenouil,
de la citrouille et au moins huit grenouilles!», s'écrie Gratouille.
Bien cachées dans la mare, les grenouilles ont la trouille.
Mais Gratouille farfouille, fouille et refouille… et trouve
les pauvres grenouilles.

«Pour une bonne ratatouille, voici huit belles grenouilles!»
hurle-t-elle.

En un rien de temps, dans le petit chaudron rempli
de crème fraiche, les grenouilles pataugent.

Finir en ratatouille, cela ne plait
guerre aux grenouilles qui grouillent
dans la tambouille!

«J'ai une idée: nagez et nous serons
sauvées!» déclare une grenouille.

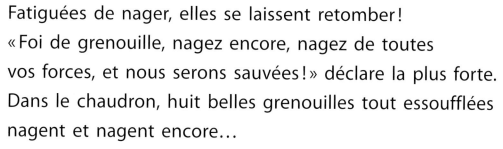

Mais les grenouilles ne peuvent pas
monter sur le bord du chaudron
qui est trop gras à cause de la crème.

Fatiguées de nager, elles se laissent retomber!

«Foi de grenouille, nagez encore, nagez de toutes
vos forces, et nous serons sauvées!» déclare la plus forte.

Dans le chaudron, huit belles grenouilles tout essoufflées
nagent et nagent encore…

«Nagez, nagez! Moi, je vous mangerai! Foi de sorcière!»
dit la sorcière en s'amusant.

Nos huit grenouilles sont fatiguées mais elles continuent
quand même de patauger! Oh, regardez! Que se passe-t-il
donc? La crème gonfle et gonfle encore…

Gratouille est occupée, elle ne voit pas la crème changer!
Et, chose étrange, dans le chaudron, la crème battue
s'est transformée, elle a durci! Nos huit grenouilles sont
étonnées! Elles l'ont tellement fouettée avec leurs pattes,
que la crème est devenue du beurre frais! Elles sont
sauvées! Mais pas le temps de discuter, il faut s'échapper!
Dans la tambouille de Gratouille, il n'y a plus aucune
grenouille! Elles sont allées se réfugier dans le jardin
du Père Martin!

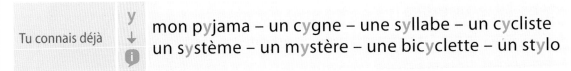

un crayon

1 Je relis des mots.

Tu connais déjà y → ï | mon pyjama – un cygne – une syllabe – un cycliste
un système – un mystère – une bicyclette – un stylo

2 J'observe.

ayé → **aiié** → payé | uyé → **uiié** → essuyé

oyé → **oiié** → noyé | oyen → **oiien** → moyen

3 Je lis des mots.

un voyage – un moyen – un rayon – un crayon

un tuyau – un noyau – des voyelles – les rayures – le yoga

un royaume – un moyen – une voyelle – le yaourt

le gruyère – le kayak – incroyable – effrayant – joyeux /

envoyer – se noyer – payer – nettoyer – aboyer – rayer

4 Je lis des phrases.

● Rayan a fait un incroyable voyage en kayak !

● Les parents de Maya ont payé à leur fille un beau voyage
à Mayotte.

● Yan est employé de la maison royale, il a nettoyé et balayé
toutes les allées.

Je choisis un texte et je le lis.

- Yannick part à Tokyo. Il ne va pas s'ennuyer, il a noté d'incroyables choses à voir. Dans l'avion, il joue avec son crayon. Puis, la tête appuyée contre le hublot, il regarde les montagnes éclairées par les rayons du soleil. Plus tard, l'hôtesse lui sert un déjeuner royal.

- Yannick part à Tokyo. Il ne va pas s'ennuyer car il a noté d'incroyables choses à voir. Il parait que la ville est bruyante, mais ce n'est pas effrayant pour Yannick. Dans l'avion, il joue avec son crayon. Puis, la tête appuyée contre le hublot, il regarde les montagnes éclairées par les rayons du soleil. Plus tard, l'hôtesse lui sert un déjeuner presque royal. «Au menu, il y a des galettes, du gruyère, un yaourt et une goyave en dessert», dit-elle.

- Yannick part à Tokyo. Avant le départ, il a envoyé un chèque pour payer son loyer. Il ne va pas s'ennuyer, il a noté d'incroyables choses à voir. Il parait que la ville est bruyante, mais ce n'est pas effrayant pour Yannick. Dans l'avion, il joue avec son crayon. Puis, la tête appuyée contre le hublot, il regarde les montagnes éclairées par les rayons du soleil, il n'a pas mal aux yeux. Plus tard, l'hôtesse lui sert un déjeuner presque royal. «Au menu, il y a des galettes, du gruyère, un yaourt et une salade de fruits aux goyaves et aux litchis en dessert», annonce-t-elle.

● Maya et Pierre sont en piquenique. Ils mangent du pain, du gruyère puis un dessert. La jeune fille regarde un écureuil. Pierre cueille une brindille. Sous les feuilles, une grenouille a fait sa cachette. La chienne fait sa toilette. Pierre la caresse.

● Maya et Pierre piqueniquent sous les rayons du soleil. Ils mangent du pain et du gruyère puis un bon dessert. La jeune fille regarde un écureuil sur une branche. Pierre cueille une brindille et observe les insectes dans l'herbe et sous les feuilles. La chienne Pirouette fait sa toilette, sous les yeux amusés de Maya. Pierre fait une caresse à la chienne. Enfin, l'heure est venue de faire une sieste !

● Maya et son cousin Pierre piqueniquent sous les rayons du soleil. Ils mangent une baguette avec du gruyère, des yaourts et un bon dessert. Pendant que la jeune fille regarde un écureuil sur la branche d'un noyer, Pierre cueille une brindille et observe des papillons et des insectes. La chienne Pirouette, assise sur un coussin, fait sa toilette, sous les yeux amusés de sa maitresse. Pierre fait une caresse à la chienne. Enfin, l'heure est venue de faire une sieste ! Quelle joyeuse journée !

La boite à fessées

Le père de Johanna et Mélissa les menace parfois de sortir son étrange «boite à fessées»... Mais jamais il ne le fait.

Les deux sœurs veulent en avoir le cœur net. Aujourd'hui, elles vont savoir si la «boite à fessées» **existe** vraiment! Elles font donc plein de bêtises. Papa se fâche et crie: «Bon, ça suffit, je vais chercher la boite à fessées!»

Les fillettes sont très **excitées** et attendent calmement. Mais lorsque leur père revient, il a les mains vides et déclare:

— Il faut que je vous menace pour que vous soyez sages! Filez, petites chipies!

C'est à chaque fois pareil, il ne sort jamais la boite! Mélissa se lève et lui demande:

— Papa, je veux voir la boite à fessées !

Papa est surpris, il hésite et, finalement, il apporte une boite en bois vernis de taille moyenne.

— Il ne doit pas y avoir beaucoup de fessées là-dedans ! dit Johanna en riant.

— Détrompez-vous, les filles ! Je vais vous raconter !

Papa pose sur ses genoux l'inquiétante boite puis commence son récit.

«Cette boite appartenait à mon arrière-grand-père, et moi aussi j'ai toujours rêvé de l'ouvrir. Mais mon grand-père m'en a dissuadé. Il m'a raconté qu'il a ouvert la boite une seule fois dans sa vie et qu'il a eu si peur et si mal que plus jamais il n'a voulu la revoir ! Il parait que les fessées sortent de la boite en criant et qu'elles se jettent sur les enfants ! Mon grand-père est resté deux jours couché sans pouvoir s'asseoir sur ses fesses !»

Les filles gardent le silence…

— Allez, ouvrez-la si vous voulez! ajoute Papa.

Papa tend alors la boite aux deux sœurs. Johanna la prend du bout des doigts et la tend à nouveau à son père.

— Tiens, dit-elle, je crois que tu devrais la cacher! finit-elle par répondre.

Et c'est comme ça que la boite à fessées a disparu dans un endroit secret que seul le papa de Johanna et de Mélissa connait.

Et depuis ce jour-là, les deux sœurs sont devenues très très sages! On se demande bien pourquoi? ●

ti → si

tion – tie – tial – tiel – tien

1 J'observe.

une invitation

tion → **sion** → invitation

tie → **si** → acrobatie

tial → **sial** → spatial

tiel → **siel** → essentiel

Ne confonds pas !
sortie / acrobatie
le tien / martien

2 Je lis des mots.

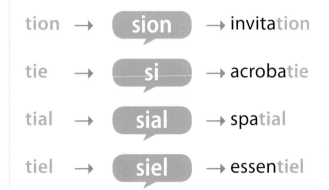

tion

une invitation – une opération – une addition
une soustraction – une multiplication – la solution
la correction – une récitation – la récréation
une interrogation – la définition – la pollution
une invention – une station – une réparation
une réaction – une potion – la natation

Et aussi…

la patience – impatient – un Égyptien – un Tahitien
un martien – des initiales – essentiel

3 Je lis des phrases.

● Je suis les cours de natation avec attention.

● Donatien a construit son invention avec beaucoup de patience.

● Elle connait bien les quatre opérations : l'addition,
la soustraction, la multiplication et la division.

Je choisis un texte et je le lis.

Sébastien a reçu une invitation pour aller voir un dessin animé sensationnel! En voici le résumé : «Un petit martien quitte sa station dans sa navette spatiale. Il vole en faisant des acrobaties autour de la Terre. Il est impatient de rencontrer la population de cette planète! Il se pose et rencontre d'abord un Égyptien. Puis il découvre une étrange invention : la télévision! Il aimerait rester plus longtemps, mais il y a bien trop de pollution sur cette planète!»

Sébastien a reçu une invitation pour aller au cinéma. Il va voir un dessin animé sensationnel! En voici le résumé : «Un petit martien quitte sa station sur Mars, dans sa navette spatiale. Il vole en faisant des acrobaties autour de la Terre. Il est impatient de rencontrer sa population! Il se pose et rencontre d'abord un Égyptien puis un Tahitien. Très vite, il découvre aussi une étrange invention : la télévision! Il aimerait rester plus longtemps, mais il manque d'air. Il y a vraiment trop de pollution sur cette planète!»

Sébastien a reçu une invitation pour voir les péripéties d'un petit martien au cinéma. C'est un dessin animé sensationnel! En voici le résumé : «Un petit martien quitte sa station sur Mars, dans sa navette spatiale. Il vole en faisant des acrobaties autour de la Terre. Il est impatient de rencontrer cette drôle de planète et sa population! À peine atterri, il rencontre un Égyptien puis un Tahitien. Très vite, il découvre aussi une étrange invention : la télévision! Il aimerait rester plus longtemps pour mieux l'observer, mais il manque d'air. Il y a vraiment trop de pollution sur cette planète!»

W w 𝓌

un ki**w**i • un **w**agon

1 J'observe.

w → **oui** → un ki**w**i

w → **oua** → un **w**apiti

w → **ouè** → un tram**w**ay

2 Je lis des mots.

● un sand**w**ich – la **w**ifi – un che**w**ing-gum – **W**illiam

● un **w**att – Ha**w**aï

● un tram**w**ay – le **w**eb – un **w**estern

3 J'observe.

w → **v** → un **w**agon   w → **ou** → un clo**w**n

4 Je lis des mots.

une intervie**w** – le bo**w**ling – Holly**w**ood
un **w**agonnet – un **w**ombat

5 Je lis des phrases.

● Le **w**agon transporte des ki**w**is.

● **W**illiam mange un sand**w**ich dans le tram**w**ay.

● Le clo**w**n joue au bo**w**ling en mâchant un che**w**ing-gum.

Je choisis un texte et je le lis.

- Dans un tramway, William mange son sandwich.
  Il est journaliste et voyage beaucoup. Aujourd'hui, il va
  interviewer un clown qui est aussi champion de bowling.
  Le mois dernier, à Ottawa, il a écrit un article sur le wapiti.
  En Australie, il a fait un reportage sur le wallaby.

- Dans un tramway, William mange son sandwich
  et des kiwis. Il est journaliste et voyage beaucoup
  pour son travail. Aujourd'hui, il va à Hollywood pour
  interviewer un clown qui est aussi champion de bowling.
  Le mois dernier, à Ottawa, il a écrit un article sur le
  wapiti. En Australie, il a fait un reportage sur le wallaby
  et le wombat. Il ne s'arrête jamais !

- Dans un tramway, William mange son sandwich et ses kiwis.
  Il est journaliste et voyage beaucoup pour son travail,
  c'est un grand reporter. Aujourd'hui, il va à Hollywood
  pour interviewer un clown qui est aussi champion de
  bowling et qui sait même danser le twist ! Le mois dernier,
  à Ottawa, au Canada, il a écrit un article sur un wapiti
  qui est entré dans la ville. En Australie, il a fait un célèbre
  reportage sur le wallaby qui ressemble à un kangourou et
  le wombat qui, lui, ressemble à un ours. Il ne s'arrête jamais !

X x

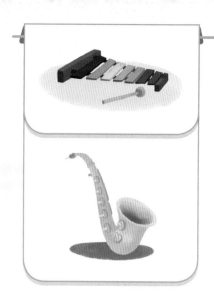

un **x**ylophone • un sa**x**ophone

1 J'observe.

x → **ks** → une e**x**ception

x → **gz** → un **x**ylophone

x → **z** → si**x**ième

x → **s** → di**x**

2 Je lis des mots.

ks | un ta**x**i – un kla**x**on – la bo**x**e – un sa**x**ophone
une e**x**cuse – une ta**x**e – un te**x**te – un e**x**trait
l'inde**x** – une e**x**ception – le Me**x**ique – e**x**trême
mi**x**te – e**x**térieur / e**x**primer – e**x**ploser – e**x**citer

gz | e**x**act – un e**x**ercice – un e**x**emple – un **x**ylophone
un e**x**amen / e**x**aminer – e**x**écuter – e**x**iger – e**x**ister

z | si**x**ième

s | soi**x**ante – si**x**

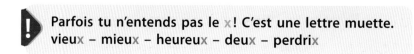

! **Parfois tu n'entends pas le x ! C'est une lettre muette.**
vieux – mieux – heureux – deux – perdrix

Je choisis un texte et je le lis.

• Félix pratique la boxe. Il fait des exercices avec Xavier.
Hier, Xavier lui a mis un coup dans le thorax et sur la main.
Félix a manqué d'oxygène et il a eu l'index cassé.
Le médecin a dû l'examiner. Xavier lui a fait des excuses !
D'habitude, Félix a d'excellents réflexes ! Mais là, Xavier y est
allé un peu fort !

• Au Mexique, Félix a appris la boxe.
Depuis, il pratique tous les jours et
fait des exercices avec Xavier. Hier,
Xavier lui a mis un coup violent dans
le thorax et sur la main. Il ne l'a pas
fait exprès ! Félix a manqué d'oxygène
et il a eu l'index cassé.

Le médecin a dû l'examiner et a demandé des explications.
Xavier lui a fait des excuses même s'il était vexé… D'habitude,
Félix a d'excellents réflexes ! Mais là, Xavier y est allé un peu fort !

• Dans la ville de Mexico, capitale du Mexique, Félix a appris
la boxe. Depuis, il pratique tous les jours et fait des exercices
avec ses amis, Alexandre et Xavier. Hier, Xavier lui a mis un coup
extrêmement violent dans le thorax et sur la main. Il ne l'a pas
fait exprès ! Félix a manqué d'oxygène et il s'est cassé l'index.
Le médecin a dû l'examiner et a demandé des explications.
Xavier lui a fait des excuses même s'il était vexé… D'habitude,
Félix a d'excellents réflexes et il n'existe personne d'aussi fort
que lui ! Mais là, Xavier y est allé un peu fort !

un
yn um ym

la jungle

On voit **um**
ou **ym** devant
m, b, p !

Je m'entraine à lire ces mots peu courants.

un | la jungle – lundi – brun – aucun – chacun
quelqu'un – commun

um | du parfum – un lumbago – humble

yn | un lynx – une synthèse – le larynx – le pharynx

ym | du thym – le tympan – un symbole – une cymbale
olympique – sympathique

! Parfois, certains mots se finissant
par -um ne font pas **in** :
album – minimum – maximum

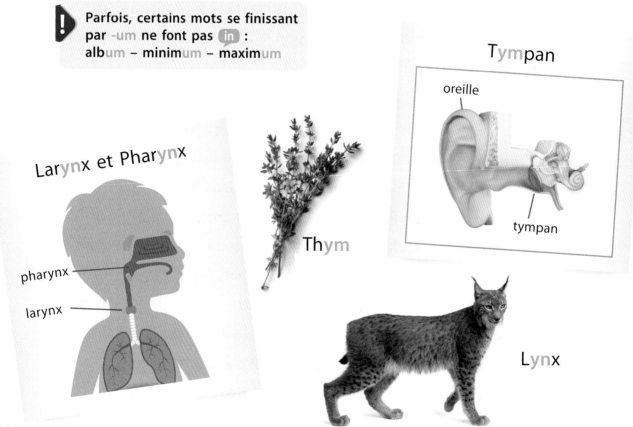

Tympan

oreille

tympan

Larynx et Pharynx

pharynx

larynx

Thym

Lynx

Je choisis un texte et je le lis.

Cette semaine, Colin a eu un programme chargé.
– Lundi soir : concert de cymbales.
– Mardi : découverte du parfum du thym au jardin des Plantes.
– Jeudi : exposition sur le corps humain, où il a découvert à quoi
  servent le pharynx, le larynx et les tympans.
– Vendredi : au zoo, observation d'un lynx et d'un ours brun.
– Samedi : reportage sur la jungle à la Géode.
Mais aujourd'hui, il a un lumbago et reste à la maison !

Quelle semaine chargée pour Colin ! Lundi soir, il a entendu
un concert de cymbales.
Mardi, il est allé au jardin des Plantes. Il y a senti du thym !
Jeudi, il a vu une exposition sur le corps humain, où il a appris
à quoi servent le pharynx, le larynx et les tympans.
Vendredi, il est allé au zoo et il a aperçu un lynx et un ours brun.
Samedi, il a vu un reportage sur la jungle. Mais aujourd'hui,
il a un lumbago, il reste à la maison ! Il a emprunté
un livre pour ne pas s'ennuyer.

Lundi soir, Colin a entendu un concert de cymbales.
Mardi, il est allé au jardin des plantes. Il y a humé du thym,
mais il n'aime pas trop : son parfum n'est pas commun !
Jeudi, il a vu une exposition sur le corps humain et a compris
comment fonctionnaient le pharynx, le larynx et les tympans.
Vendredi, il est allé au zoo et il a aperçu un lynx et un ours
brun, chacun assis dans leur coin. Samedi, il a vu un reportage
sur la jungle à la Géode.
Mais aujourd'hui, il a un lumbago, il reste à la maison !
Il a emprunté un livre sur les *Nymphéas* de Claude Monet.

tion

w

x

un – yn…

- Lundi, William part en expédition avec une bicyclette exceptionnelle. Pour lui, c'est une préparation aux jeux Olympiques. Il faut dire que c'est un cycliste extraordinaire, il fait des acrobaties sensationnelles ! Il va traverser plusieurs nations. Peut-être arrivera-t-il jusqu'à Hollywood ?

- Lundi, William part en expédition. Il va voyager avec une bicyclette exceptionnelle qu'il a empruntée à quelqu'un. Pour lui, c'est une préparation aux jeux Olympiques. Il faut dire que c'est un cycliste extraordinaire, il fait des acrobaties sensationnelles ! On pourra suivre sa course sur le web. Il va traverser plusieurs nations. Peut-être arrivera-t-il jusqu'à Hollywood ?

- Lundi, William part en expédition. Il va voyager avec une bicyclette exceptionnelle qu'il a empruntée à quelqu'un. Pour lui, c'est une préparation aux jeux Olympiques. Il faut dire que c'est un cycliste extraordinaire, il fait des acrobaties sensationnelles ! Ce n'est pas commun ! Sur le web, on pourra suivre sa course avec attention. Il va traverser plusieurs nations. Il va aller au pays des wapitis, il rencontrera des lynx et dormira chez des gens sympathiques. Peut-être arrivera-t-il jusqu'à Hollywood ? À son arrivée, j'irai l'interviewer !

Le mousse Tique

Venez, approchez…
Je vais maintenant tout vous raconter !
Écoutez ! Écoutez…

Un jour de grande tempête, un grand bateau, un beau navire voguant sur l'eau, chavire ! Aïe ! Aïe ! Aïe !
Le commandant et l'équipage de matelots se battent contre les flots.
Ils se battent contre les vagues qui font rage. Ils se battent contre l'orage qui éclate !
L'écume, comme de la mousse, envahit tout ! Tous les radeaux sont mis à l'eau !

Mais là, quel malheur, le mousse Tique attaque ! Et toc et tic, et tic et toc, il tire, il pousse, il tousse ! Tout le monde a la frousse !
— Aïe ! Tu piques, méchant mousse Tique, avec ta dague comme un dard, sur ton radeau au ras de l'eau ! crie un matelot.
— Je suis vaillant, je reste sur le pont, répond le mousse Tique.

Et il se bataille, belle canaille, et il se chamaille ! Tique le moussaillon pique encore… Et tic et toc et toc et tic ! Et sous l'emprise de la folie, il jette à l'eau tout l'équipage !

— Enfin, me voilà seul sur mon bateau ! fanfaronne le mousse Tique.

Mais une tempête renverse le bateau… Et paf, et pif et plouf, le mousse Tique a rendu l'âme ! Tout étendu sur son rafiot, il n'est pas beau !

Les matelots, eux, sont tous à l'eau et le pauvre commandant coule tout au fond en emportant un goéland et le **savon**… Et le **savon** ?

— Agathe, tu sors du bain ?

— Oui, maman, j'ai tué un moustique ! Mon bateau et tous mes matelots sont tout mouillés, je crois que ma tempête a inondé la salle de bains… ●

Petits textes rigolos

▶ Je ne confonds pas **f** et **v**

Quelle folie !

Fanny la fée est une farceuse. Elle se transforme
en fantôme fou et souffle fort dans sa flute.
Les farfadets de la forêt sont effrayés.
Affolés, ils fuient comme des fusées… Et plouf !
Ils s'effondrent dans une grosse flaque.
Fanny pouffe. Fin de la farce.
Quelle affaire !

Vrai de vrai !

Dans le village de vacances, des vélos volants
vont et viennent à toute vitesse, des avions violets
naviguent dans la rivière, et de vieilles vaches
énervées conduisent des voitures vertes.
Quel vacarme ! Les voisins n'en reviennent pas…

▶ Je ne confonds pas **j** et **ch**

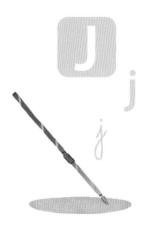

Quelle joie !

Jango le jeune jaguar joyeux joue dans la jungle.
Un jour, de justesse, il évite le javelot de Jamar
qui n'a pas visé juste. « C'est juré, je vais faire
du judo pour apprendre à me défendre », déclare
Jango. Depuis ce jour, il s'entraine au judo tous
les jeudis dans son jardin.

C'est chouette !

Mon petit chien en peluche a des moustaches et des taches blanches. C'est mon chouchou. Il sent bon la pêche et le chocolat. Quand je le touche, il chante. C'est charmant !

▶ Je ne confonds pas p et t

Pas possible !

Le Petit Poucet se promène à Paris avec ses copains Paul et Paolo. Pour ne pas se perdre, il a bien pensé à mettre dans ses poches des petites pierres. Saperlipopette ! Le Petit Poucet est prévoyant !

Quel tumulte !

Une tortue toute verte joue de la trompette à côté d'un tamanoir qui tape sur un tamtam avec des castagnettes !

— Quel tapage, dit tonton Tristan.

Tu ne trouves pas ça terrible, Tatiana ?

— Tu es toujours mécontent, tonton ! répond la petite fille enchantée. Moi, j'aime bien ce tintamarre !

▶ Je ne confonds pas s et z

Surprise !

La souris a laissé ses souriceaux seuls sous une serviette, sans se soucier du serpent sauvage qui siffle sous un seau. Le serpent sort

du **s**eau et **s**e **s**auve… vers les **s**ouriceaux ? **S**urement pas… Il **s**e dirige vers la **s**alade pleine de **s**auce dans l'a**s**siette. Mais il gli**ss**e dans la **s**auce et ne peut pas la dégu**s**ter ! Alors il **s**anglote ! Un **s**erpent qui pleure, ce n'est pas **s**érieux !

Zut alors **!**

Le **z**èbre **z**élé fait le **z**ouave au milieu du **z**oo.
Il **z**igzague devant le **z**ébu du **Z**imbabwe et
les autres **z**ozos ! Mais tout à coup, le **z**èbre s'arrête
net. Il n'a pas l'air **z**en… **Z**ou, l'hippopotame
du Mo**z**ambique, veut danser le **z**ouk avec lui.
Alors il met les ga**z** pour s'enfuir ! Il préfère manger
une pi**zz**a avec son amie **Z**oé, en écoutant du ja**zz**.

▶ Je ne confonds pas **b** et **d**

Bonne **b**lague **!**

Bar**b**ara est une **b**lagueuse ! Elle fait des **b**ulles
bizarres devant le **b**ouc et la **b**re**b**is qui **b**routent
au **b**ord du **b**assin **b**leu. Une grosse **b**ulle re**b**ondit
et claque sur le **b**out du nez de la **b**re**b**is qui **b**êle
bruyamment en **b**ondissant ! Beurk, la **b**re**b**is **b**ave !

Un doux **d**imanche

Le **d**imanche, **D**any a**d**ore **d**ormir avec son **d**ou**d**ou,
pren**d**re une **d**ouche avec son **d**auphin en plastique
doré, se **d**éguiser en **d**ragon **d**o**d**u et, **d**ans le jar**d**in,
monter sur le **d**os **d**e son **d**roma**d**aire en bois, avant
de manger son **d**essert et **d**e boire une grenadine.

Curieuse comédie

Le canard dit à la cane en cancanant :

— Crois-moi, je connais le coupable qui a volé les carottes dans la cage de Coco le lapin !

— Je le connais aussi, répond la cane en ricanant. C'est Conrad le corbeau… Quelle canaille ! Il va cuisiner des crêpes à la confiture de carottes !

Prends garde !

Le gai grillon anglais regarde le gros gorille grincheux pendant qu'un alligator les guette… Gare à la gourmandise du croco !

Direction éditoriale : Sylvie Cuchin
Édition : Charlotte Aussedat
Création maquette et mise en page : Anne-Danielle Naname
Illustrations : Mathilde Stento
Corrections : Florence Richard et Bérengère Allaire

Dépôt légal : avril 2017 - N° d'éditeur : 10230375
Imprimé en Espagne en mars 2017 sur les presses de Macrolibros

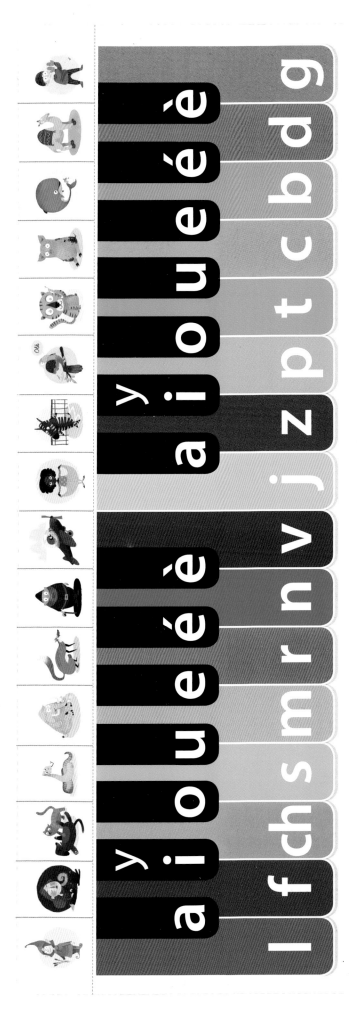

Les dessins peuvent être découpés ou cachés par pliage quand l'élève peut s'affranchir des personnages référents.

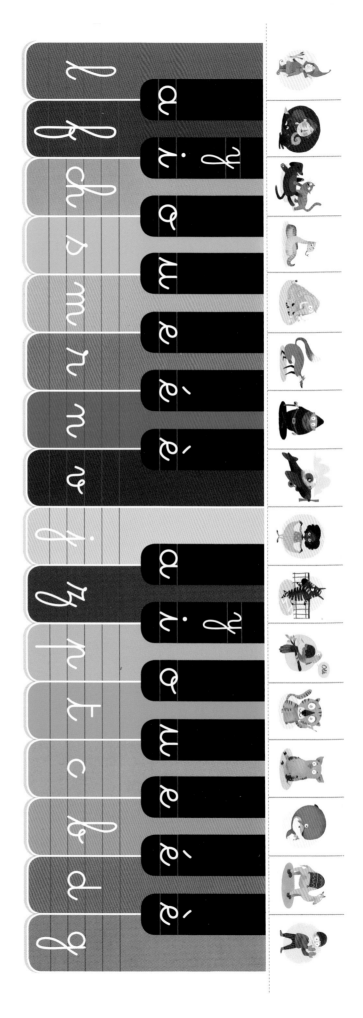

Les dessins peuvent être découpés ou cachés par pliage quand l'élève peut s'affranchir des personnages référents.

L'outil peut également servir aux dictées de syllabes et aux activités d'écriture.

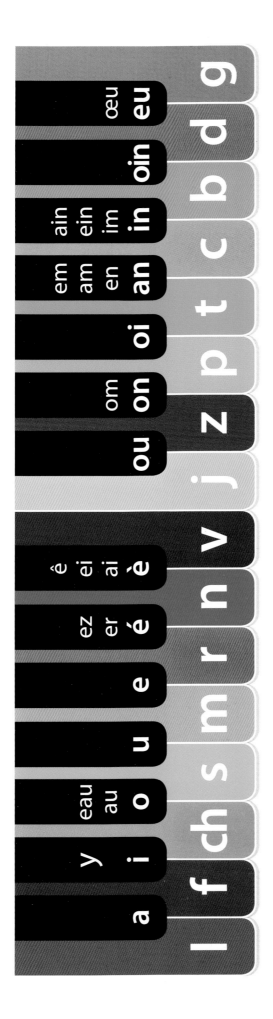

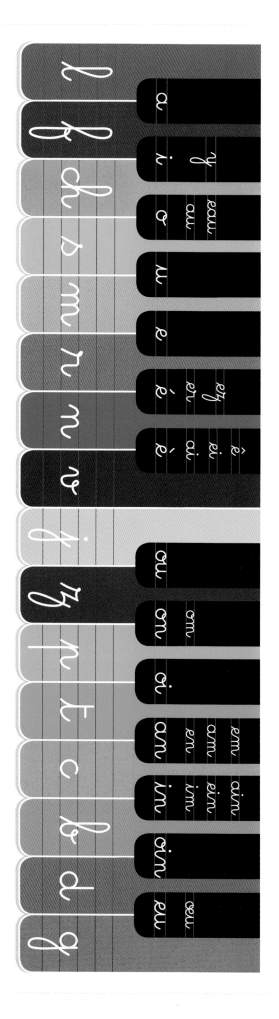

L'outil peut égalment servir aux dictées de syllabes et aux activités d'écriture.